DER EWIGE GATTE

F. M. Dostojewski

Der ewige Gatte

Roman

Emil Vollmer Verlag · Wiesbaden

Ins Deutsche übertragen von Ilse Krämer

I. WELTSCHANINOFF

Der Sommer kam, und wider alles Erwarten blieb Weltschaninoff in Petersburg. Seine Reise in den Süden Rußlands hatte sich zerschlagen, und das Ende seines Prozesses war nicht abzusehen. Dieser Prozeß — ein Rechtsstreit um Gutsbesitz — nahm die denkbar ungünstigste Wendung. Noch vor drei Monaten hatte es durchaus den Anschein gehabt, er sei ganz unkompliziert und sein Ausgang fast unbestritten; aber plötzlich war alles irgendwie verändert. «Überhaupt fängt es an schiefzugehen!» wiederholte Weltschaninoff sich jetzt oft und mit einer gewissen Schadenfreude. Er beschäftigte einen geschickten und teueren Rechtsanwalt, der sehr bekannt war, und scheute keine Ausgaben. Aber von Ungeduld und einem gewissen Mißtrauen getrieben, hatte er begonnen, sich selbst mit der Angelegenheit abzugeben: er las und verfaßte Schriftstücke, die vom Anwalt ausnahmslos verworfen wurden, lief von einer Amtsstelle zur anderen, zog Erkundigungen ein und störte durch diese Tätigkeit den Verlauf des Rechtsstreits wahrscheinlich sehr; jedenfalls beklagte sich sein Anwalt bitter und drängte ihn, doch in die Sommerfrische zu gehen. Aber Weltschaninoff konnte sich nicht dazu entschließen. Staub, drückende Schwüle, helle Nächte, die die Nerven aufpeitschten, das war es, was Petersburg ihm an Genüssen bot. Seine Wohnung, die er vor kurzem in der Nähe des Großen Theaters gemietet hatte, freute ihn auch nicht mehr. «Alles geht schief!» Seine Schwermut nahm von Tag zu Tag zu; aber er hatte ja schon von jeher eine Veranlagung zum Hypochonder gezeigt.

Weltschaninoff war ein Mann, der ein üppiges und ereignisreiches Leben hinter sich hatte. Auch war er nicht mehr der Jüngste — er zählte etwa achtunddreißig oder sogar schon neununddreißig Jahre —, und «das Alter», wie er sich selbst ausdrückte, war «fast ganz unerwartet» über ihn gekommen. Er sah ein, daß es nicht so sehr die Zahl als die Art der Jahre ausmachte, die ihn altern ließ, und die Ursache der beginnenden Gebrechen nicht außen, sondern in ihm selbst zu suchen sei. Auf den ersten Blick war er noch heute ein sehr stattlicher Mann, groß und stämmig, mit dichtem hellblondem Haar, in dem man, wie auch im langen, fast bis zur Hälfte der Brust herabfallenden blonden Bart, noch keinen weißen Faden entdecken konnte. Bei flüchtiger Betrachtung mochte er etwas plump und nachlässig wirken; beobachtete man ihn aber genauer, so erkannte man sofort den Herrn, der sich vorzüglich zu geben verstand und dem man die weltmännische Erziehung ansah, die er einstmals genossen hatte. Sein Benehmen war ungezwungen, sicher und sogar von einer gewissen Grazie, ungeachtet der schlaffen Wohlbeleibtheit und Schwerfälligkeit, die sich im Laufe der Jahre eingestellt hatte. Bis auf den heutigen Tag war er von unerschütterlichem, weltmännisch-unverfrorenem Selbstvertrauen, dessen Ausmaße ihm wahrscheinlich gar nicht bewußt waren, obwohl man ihn nicht nur einen klugen, sondern in manchen Dingen sogar einen sehr gewitzigten und gebildeten Menschen nennen konnte, der zweifellos über gewisse Begabungen verfügte. Sein offenes und frisches Gesicht hatte sich einstmals durch weibliche Zartheit ausgezeichnet und die Aufmerksamkeit der Frauen angezogen; selbst heute noch sagte manch einer, der ihn ansah: «Welch ein kerngesunder Kerl, ganz Milch und Blut!» Und doch war dieser «kerngesunde Kerl» von schwerer Hypochondrie befallen. Seine großen, blauen Augen hatten vor zehn Jahren noch etwas Siegesgewisses gehabt: sie waren damals so leuchtend, so heiter und blickten so sorgenfrei, daß jeder, der ihm begegnete, sich zu ihm hingezogen fühlte. Jetzt aber, an der Schwelle der Vierziger, war die Helligkeit und Güte in ihnen fast erloschen, und leichte Fältchen begannen sich schon einzugraben; dafür sprach nun aus diesem Blick der Zynismus eines ermüdeten und sittlich nicht ganz einwandfreien Menschen, eine gewisse Schlauheit, am deutlichsten aber Spott, zu dem sich ein ganz neuer Schatten gesellte, von dem früher keine Spur vorhanden gewesen war: der Schatten einer Schwermut und eines Schmerzes — einer gleichsam zerstreuten und fast gegenstandslosen, aber tiefen Schwermut. Besonders stark trat sie zutage, wenn er allein war. Und sonderbar: dieser noch vor zwei Jahren so sprühende, unterhaltsame und lebensbejahende Mensch, der so köstlich die heitersten Geschichten zu erzählen verstand, liebte heute nichts so sehr wie die Zurückgezogenheit. Absichtlich gab er den Verkehr mit vielen Bekannten auf, obwohl er ihn auch jetzt, ungeachtet der endgültigen Zerrüttung seiner Vermögensverhältnisse, ruhig hätte weiterpflegen können. Aber, um die Wahrheit zu sagen, hier spielte etwas anderes mit: bei seinem Mißtrauen und seiner Eitelkeit konnte er seine früheren Bekannten kaum noch ertragen. In der jetzigen Einsamkeit nun begann diese seine Eitelkeit sich nach und nach zu wandeln. Nicht daß sie geringer geworden wäre, nein, im Gegenteil, aber sie wuchs sich zu einer ganz besonderen Art von Schwäche aus, die er früher nicht gekannt hatte: ganz andere Dinge, als er gewohnt war, verursachten ihm heute Leiden, Dinge, deren Wirkung ihn völlig überraschte und ehemals undenkbar gewesen wäre. Entschieden rührten seine heutigen Leiden von «höheren Ursachen» her, — «wenn man sich so ausdrücken kann und es überhaupt höhere und niedere Ursachen gibt...» fügte er selbst hinzu.

Ja, so weit war es mit ihm gekommen: mit irgendwelchen «höheren Ursachen» schlug er sich jetzt herum, an die er früher keinen einzigen Gedanken verschwendet hätte. Vor seinem Bewußtsein und seinem Gewissen ließ er alle Ursachen als «höhere» gelten, über die er (zu seiner eigenen Verwunderung) sich nicht lustig machen konnte — was es früher eben nicht gegeben hatte —, allerdings nur im stillen bei sich selbst, versteht sich! In Gesellschaft — oh, da war es etwas ganz anderes!

Er wußte nur zu genau, daß er gleich morgen, in aller Öffentlichkeit — sollten die Umstände es fügen — mit der größten Seelenruhe diese «höheren Ursachen», ungeachtet der geheimen und ehrfurchtgebietenden Entschlüsse seines Gewissens, verhöhnen und als erster über sie lachen würde, selbstredend ohne sich auch nur das Geringste anmerken zu lassen. Ja, so war das, trotz der ihm eigenen, sogar recht bedeutenden Unabhängigkeit des Denkens, die er in letzter Zeit den «niedereren Ursachen», von denen er bisher vorwiegend beherrscht gewesen war, abgerungen hatte. Und wie manches Mal, wenn er morgens aus dem Bett stieg, schämte er sich seiner Gedanken und Gefühle, die er im Verlauf der schlaflosen Nacht bewegt und empfunden hatte! (In letzter Zeit litt er unausgesetzt an Schlaflosigkeit.)

Schon seit einer geraumen Weile hatte er ein wachsendes Mißtrauen bei sich beobachtet, das bei wichtigen, aber auch bei unwichtigen Anlässen in ihm aufkam. Darum faßte er den Entschluß, sich selbst so wenig wie möglich Vertrauen zu schenken. Es traten aber Dinge zutage, deren Existenz man unbedingt anerkennen mußte. In letzter Zeit war es manchmal vorgekommen, daß seine Gedanken und Empfindungen sich nachts vollständig veränderten und mit denjenigen, die er während des Tages kannte, fast keine Ähnlichkeit mehr aufwiesen. Dies machte ihn stutzig, so daß er sogar einen berühmten Arzt, den er allerdings persönlich gut kannte, um Rat fragte. Selbstredend führte er das Gespräch nur scherzweise. Ihm wurde zur Antwort, das Phänomen der Gedankenveränderung und sogar das der Gedanken- oder Empfindungsspaltung bei Schlaflosigkeit (und überhaupt nachts) finde sich bei «allen angestrengt denkenden und intensiv fühlenden Menschen» und es komme mitunter vor, daß Überzeugungen, die ein ganzes Leben standgehalten hatten, sich unter dem melancholischen Einfluß der Nacht und der Schlaflosigkeit völlig verwandelten; ganz unvermutet würden, mir nichts — dir nichts, schicksalsschwere Entschlüsse gefaßt; aber alles das sei natürlich nur bis zu einem gewissen Maße zulässig, denn wenn das Subjekt diese Spaltung schließlich zu sehr empfind und darunter zu leiden beginne, so sei das ein unbestreitbares Zeichen dafür, daß es sich um eine Krankheit handle, und dann müsse unverzüglich eingegriffen werden. Am allerbesten sei es, die Lebensweise von Grund auf zu ändern, die Diät zu wechseln oder eine Reise zu unternehmen. Ein Abführmittel könne allerdings auch von Nutzen sein.

Weltschaninoff hörte gar nicht weiter zu: für ihn war es erwiesen, daß er krank sei.

«Also ist das alles nur eine Krankheit und all dieses ‹Höhere› lediglich das Symptom dieser Krankheit und weiter nichts!» rief er voller Hohn sich selber zu. Doch etwas in ihm wehrte sich, damit einverstanden zu sein.

Bald übrigens wiederholte sich das, was ihn sonst in bestimmten Nachtstunden plagte, auch morgens und dazu noch mit mehr Galle: an Stelle der Reue trat Wut, an die der Rührung beißender Hohn. Im Grunde war es nichts anderes, als daß verschiedene Ereignisse aus seinem verflossenen, und zwar längst verflossenen, Leben ihm immer öfter, «plötzlich und Gott weiß weshalb» in den Sinn kamen und zudem noch auf eine ganz besondere Weise. Zum Beispiel: Weltschaninoff klagte seit langem über das Nachlassen seines Gedächtnisses; er entsann sich der Gesichter seiner Bekannten nicht, die ihm das, wenn sie ihn trafen, übelnahmen; der Inhalt eines Buches, das er erst vor einem halben Jahr gelesen hatte, fiel der Vergessenheit anheim. Doch dessen ungeachtet — trotz dieser offensichtlichen, täglichen Einbuße an Erinnerungskraft (die ihn sehr beunruhigte) — kam ihm jetzt manches, das längst der Vergangenheit angehörte, das zehn, sogar fünfzehn Jahre zurücklag, in den Sinn, und noch dazu mit einer Schärfe des Eindruckes, als erlebe er das alles jetzt in diesem Augenblick. Einige jener zurückströmenden Ereignisse hatte er so tief vergessen gehabt, daß allein die Tatsache, sich ihrer wieder zu erinnern, ihn wie ein Wunder anmutete. Aber das war nicht alles: denn welcher Mensch, der ein üppiges Leben hinter sich hat, kennt keine Erinnerungen? Die Sache war vielmehr die, daß alle diese Dinge jetzt zusammen mit einer völlig neuartigen, unerwarteten und früher ganz undenkbaren Ansicht über sie wiederkehrten. Warum schienen ihm heute gewisse Begebenheiten in der Erinnerung geradezu verbrecherisch? Dabei handelte es sich nicht allein um Urteile seiner Vernunft, denn ihr, dieser düsteren, eigenbrötlerischen und krankhaften, hätte er ja gar nicht getraut. Nein, es ging bis zu Verwünschungen, bis zu Tränen, die zwar nicht sichtbar wurden, im Inneren aber doch erstanden. Noch vor zwei Jahren hätte er keinem geglaubt, der ihm gesagt hätte, daß er einmal weinen werde! Anfangs kamen ihm allerdings mehr die erlittenen Kränkungen in den Sinn: er erinnerte sich an einige gesellschaftliche Mißerfolge und Demütigungen; zum Beispiel, wie er von «einem Intriganten verleumdet» worden war, was zur Folge gehabt hatte, daß man ihn in einem bekannten Hause nicht mehr empfing, — oder wie er, und dies nicht einmal vor sehr langer Zeit, in aller Öffentlichkeit ganz eindeutig beleidigt worden war und keine Genugtuung verlangt hatte, — oder aber wie er in einer Gesellschaft ausgesucht charmanter Frauen mit einem überaus geistreichen Epigramm derart mundtot gemacht worden war, daß ihm keine Antwort darauf einfiel. Sogar zwei, drei unbeglichene Verpflichtungen kamen ihm in den Sinn, keine nennenswerten, aber doch Ehrenschulden und dazu noch Menschen gegenüber, mit denen er keinen Verkehr mehr pflegte und über die er schon allerlei Schlechtes gesprochen hatte. Auch peinigte ihn (das aber nur in allerschlimmsten Augenblicken) die Erinnerung an die zwei in dümmster Weise vergeudeten Vermögen, von denen jedes einzelne bedeutend gwesen war. Bald aber begannen auch Erinnerungen aus der Sphäre des «Höheren» ihn heimzusuchen. Plötzlich, «mir nichts — dir nichts», kam ihm zum Beispiel die vergessene, gründlich vergessene Figur eines gutmütigen, grauhaarigen und komisch aussehenden Beamten in den Sinn, den er vor unendlich langer Zeit in aller Öffentlichkeit und ungestraft tief beleidigt hatte, einzig und allein aus Gefallsucht: um ein sehr komisches und gelungenes Wortspiel zu machen, das ihm Ruhm einbrachte und späterhin überall zitiert wurde. Dieses Geschehnis hatte er derart vergessen, daß ihm nicht einmal der Familienname des Beamten einfallen wollte, obschon die Umgebung, in der sich das Ganze abgespielt hatte, mit unwahrscheinlicher Deutlichkeit vor ihm stand. Er konnte sich genau erinnern, daß der Alte damals seine Tochter in Schutz genommen hatte, die mit ihm zusammen lebte und schon eine alte Jungfer war und über die irgendwelche Gerüchte in der Stadt verbreitet worden waren. Der Alte hatte sich erregt, war in Eifer geraten und ganz unerwartet vor aller Leute Augen in Tränen und Schluchzen ausgebrochen, was sogar einen gewissen Eindruck hinterlassen hatte. Es endete damit, daß man ihn zur Belustigung der Gesellschaft mit Champagner betrunken machte und — mein Gott, wie hatte man doch damals gelacht! Wenn Weltschaninoff jetzt, «mir nichts — dir nichts», daran denken mußte, wie dieser alte Mann geschluchzt und wie ein Kind die Hände vors Gesicht gehalten hatte, dann kam es ihm vor, als habe er dieses Erlebnis nie vergessen. Wie merkwürdig: damals war ihm das alles höchst komisch erschienen, jetzt aber ging es ihm ganz im Gegenteil sehr nahe, besonders die Einzelheiten, besonders das Bedecken des Gesichtes mit den Händen. — Er erinnerte sich auch noch daran, wie er — nur zum Scherz — die reizende Frau eines Schullehrers in schlechten Ruf gebracht und ihr Mann davon Kenntnis bekommen hatte. Damals hatte Weltschaninoff das Städtchen, in dem es geschehen war, bald verlassen, so daß er gar nicht erfuhr, welche Folgen seine Verleumdung gehabt hatte; jetzt aber begann er sich dies auszumalen — und Gott allein weiß, wie weit seine Phantasie es mit ihm getrieben hätte, wäre ihm nicht eine zeitlich näherliegende Erinnerung an ein Mädchen aus bürgerlichen Kreisen dazwischengekommen, das ihm nicht einmal sehr gefallen hatte, ja dessen er sich, ehrlich gesagt, ein wenig schämte, von dem er aber, ganz gegen seine Absichten, ein Kind hatte und das er dann, zusammen mit dem Kind, ohne Abschied zu nehmen (er hatte damals allerdings keine Zeit dazu gehabt), sitzen gelassen hatte, als er von Petersburg fortgereist war. Später hatte er dieses Mädchen ein ganzes Jahr lang gesucht, konnte es aber trotz größten Bemühens nicht mehr finden. — Solche Erinnerungen kamen ihm nach und nach fast zu Hunderten, und jede einzelne schien zehn andere hinter sich herzuziehen. Mit der Zeit begann seine Eitelkeit unter diesen Dingen zu leiden.

Wie schon gesagt, hatte diese Eitelkeit ganz besondere Formen angenommen, das war Tatsache. In gewissen Augenblicken (die übrigens sehr selten waren) kam es bei ihm zu einem solchen Grad von Selbstvergessenheit, daß er sich nicht einmal schämte, keinen eigenen Wagen zu besitzen, zu Fuß in alle Gerichtsämter zu laufen und eine gewisse Nachlässigkeit in der Kleidung überhandnehmen zu lassen. Und wäre es ihm widerfahren, daß einer seiner alten Bekannten ihn auf der Straße mit spöttischen Blicken gemessen oder gar den Einfall gehabt hätte, ihn nicht erkennen zu wollen, wahrlich, sein Hochmut hätte ausgereicht, nicht einmal mit der Wimper zu zucken, und zwar buchstäblich nicht zu zucken, nicht nur zum Schein. Selbstredend erlebte er solche Zustände nur selten; kurze Augenblicke der Selbstvergessenheit und der tiefen Empfindung waren es, doch waren sie so stark, daß seine Eitelkeit bei solchen Anlässen nicht getroffen wurde. In zunehmendem Maße aber sammelte sie sich abwehrbereit um eine Frage, die ihm unausgesetzt in den Sinn kam.

«Da ist doch jemand», so begann er satyrisch seinen Gedanken (immer fing er, wenn er über sich nachdachte, auf satyrische Weise an) — «da ist doch jemand, der um die Hebung meiner Sittlichkeit besorgt ist und mir diese verdammten Erinnerungen, diese ‹Tränen der Reue› schickt. Laß ihn nur, ist ja doch alles vergebens. Ist ja doch nur ein Schießen mit blinder Murition! Weiß ich denn nicht ganz sicher, ja mehr als ganz sicher, daß ungeachtet aller tränenreichen Reue und Selbstverurteilung kein Tropfen Einsicht in mir zu finden ist, trotz meiner dummen vierzig Jahre! Sollte ich morgen wieder vor der Versuchung stehen, sollten die Umstände wieder so liegen, daß es mir, zum Beispiel, günstig erschiene, das Gerücht zu verbreiten, die Frau des Schullehrers habe Geschenke von mir entgegengenommen — ich würde es bestimmt wieder tun, ich würde nicht einmal mit der Wimper zucken, und noch viel schlimmer, widerwärtiger als das erste Mal würde es werden, denn jetzt wäre es ja schon eine Wiederholung. Oder wenn mich dieses Fürstensöhnchen, das einzige Kind seiner Mutter, dem ich vor elf Jahren ein Bein abgeschossen habe, abermals beleidigte — ich würde es abermals fordern und ihm wieder zu einem Holzbein verhelfen. Ist das also nicht vergebliche Liebesmüh? Was hat es für einen Zweck? Und wozu mich immer wieder an alles erinnern, wenn es mir doch gar nicht gegeben ist, auch nur annähernd mit mir selbst fertig zu werden?»

Und obschon der Fall mit der Lehrersfrau nicht wieder vorkam, obwohl er niemandem mehr zu einem Holzbein verhalf, wirkte doch der Gedanke allein, es würde sich unbedingt wiederholen, wenn die Gelegenheit dazu gegeben wäre, fast tötend auf ihn, — manchmal. In der Tat, man kann doch nicht immer an Erinnerungen kranken, man muß sich auch eine Erholung gönnen und sich die Beine vertreten — in den Pausen zwischen den einzelnen Akten.

Weltschaninoff hielt es auch so: er war bereit, sich zwischen den Akten die Beine zu vertreten. Trotzdem wurde sein Leben in Petersburg immer unangenehmer, je länger er dablieb. Der Juli rückte schon näher. Mitunter packte ihn eine Entschlossenheit, alles stehen und liegen zu lassen, sogar den Prozeß, und Hals über Kopf, gewissermaßen für sich selbst plötzlich und unerwartet, fortzufahren, und sei es auch in die Krim. Aber schon nach einer Stunde verachtete er gewöhnlich diese Idee und lachte darüber: «Da die bösen Gedanken einmal begonnen haben, werden sie im Süden auch nicht aufhören, und wenn ich auch nur ein Mindestmaß an Anstand besitze, so ist es klar, daß ich sie nicht fliehen darf — und außerdem hat es ja auch gar keinen Zweck.»

«Und warum sollte ich fliehen» — fuhr er kummervoll fort zu philosophieren —, «hier ist es so staubig, so stickig, in diesem Hause alles so schmutzig, in den Amtsstuben, in denen ich herumstehe unter all den Geschäftsleuten, so viel kleinliche Emsigkeit, so viel Alltagssorge; dieses ganze Volk, das in der Stadt geblieben ist, alle diese Gesichter, die vom Morgen bis zum Abend an einem vorbeiziehen, tragen so offenherzig und naiv ihre ganze Eigenliebe zur Schau, ihre ganze einfältige Arroganz, die ganze Feigheit ihrer mittelmäßigen Seelen und die Kleinheit ihrer Hühnerherzen —, daß es ein Paradies für den Hypochonder ist, allen Ernstes gesprochen! Hier ist alles offen, alles klar, man hält es nicht einmal für nötig, etwas zu verdecken, wie das bei unseren Damen in der Sommerfrische oder in den ausländischen Bädern der Fall zu sein pflegt, — und folglich ist schon allein diese Schlichtheit und Offenheit größter Achtung wert! Ich fahre nirgendwo hin! Und wenn ich hier ersticke — ich bleibe!»

II. DER HERR MIT DEM TRAUERFLOR AM HUT

Man schrieb den 3. Juli. Die schwüle Hitze der Luft war unerträglich. Ein sehr betriebsamer Tag war dies für Weltschaninoff gewesen: den ganzen Morgen lang mußte er von einem Amt zum anderen laufen oder fahren, und vor ihm stand die dringliche Notwendigkeit, noch am gleichen Abend einen sehr einflußreichen Herrn, einen Staatsrat, in dessen Sommerhaus irgendwo am Schwarzen Flüßchen überraschend zu besuchen und zu stellen. Gegen sechs Uhr betrat Welt-schaninoff ein etwas zweifelhaftes, aber französisches Restaurant am Newskij Prospekt bei der Polizeibrücke, setzte sich in seine gewohnte Ecke und bestellte das Mittagessen.

Er verzehrte täglich das Menu zu einem Rubel, den Wein zahlte er gesondert, was er für ein vernünftiges Opfer hielt, das er seinen zerrütteten Verhältnissen brachte. Er staunte selbst, wie man einen solchen Fraß essen konnte, verzehrte aber alles bis zur letzten Krume — und jedesmal mit einem Appetit, als habe er drei Tage lang nichts zu sich genommen. «Das ist etwas Krankhaftes», murmelte er vor sich hin, wenn ihm sein Appetit auffiel. Heute aber setzte er sich bereits in der düstersten Seelenverfassung an den Tisch, warf voller Unwillen seinen Hut irgendwo hin, stützte sich auf und versank in Nachdenken. Hätte in diesem Augenblick sein Tischnachbar etwa störende Geräusche von sich gegeben oder der bedienende Piccolo ihn nicht beim ersten Wort verstanden, er, der sonst so Höfliche und zu gegebener Zeit hochmütig Unerschütterliche, hätte nicht gezögert, aufzubegehren, Lärm zu schlagen, ja sogar einen Skandal heraufzubeschwören wie ein Junker.

Man brachte die Suppe. Er nahm den Löffel, aber noch ehe er ihn eingetaucht hatte, warf er ihn wieder auf den Tisch und sprang beinahe vom Stuhl hoch. Ein unerwarteter Gedanke erleuchtete ihn plötzlich: in diesem Augenblick — und Gott allein weiß, durch welche Gedankenassoziationen — durchschaute er vollkommen die Ursache seiner schlechten Laune, jener bestimmten, auf etwas einzelnes gerichteten schlechten Laune, die ihn jetzt schon einige Tage hintereinander geplagt hatte, ja ihm geradezu, weiß Gott weshalb, nachging und die er, weiß Gott warum, nicht loswerden konnte. Jetzt erkannte er plötzlich den Anlaß und übersah alles wie seine eigenen fünf Finger.

«Dieser Hut ist es!» murmelte er, als empfange er eine Eingebung. «Einzig und allein dieser verdammte, runde Hut mit dem niederträchtigen Trauerrand ist *an allem* schuld!»

Er versank in Gedanken — und je länger er nachdachte, desto düsterer wurde er, und um so erstaunlicher wurde in seinen Augen das «ganze Ereignis».

«Aber ... aber wo ist denn hier eigentlich das Ereignis?» versuchte er zu protestieren, voller Mißtrauen gegen sich selbst. «Gibt es denn da auch nur das Geringste, das es zu einem Ereignis machen würde?»

Die ganze Sache bestand in folgendem: es waren jetzt schon beinahe zwei Wochen vergangen (in Wirklichkeit wußte er es nicht mehr genau, aber er glaubte, es seien zwei Wochen) seit dem Tage, da ihm auf der Straße irgendwo an der Ecke der Podjatscheskaja und der Meschtschanskaja ein Mann mit einem Trauerflor am Hut begegnet war. Dieser Mann war wie alle übrigen, nichts Besonderes zeichnete ihn aus, auch ging er schnell vorüber — nur schaute er Weltschaninoff sehr scharf an und fesselte plötzlich aus irgendeinem Grunde dessen Aufmerksamkeit bis zum äußersten. Ihm kam dieses Gesicht zum mindesten bekannt vor. Offenbar hatte er es irgendwann einmal irgendwo gesehen. «Ach, wieviel tausend Gesichtern bin ich schon in meinem Leben begegnet — alle kann man sich nicht merken!» Nach zwanzig Schritten schon hatte er, ungeachtet der Stärke des ersten Eindrucks, das Zusammentreffen scheinbar vergessen, aber der Eindruck blieb und äußerte sich originellerweise in einer gegenstandslosen, seltsamen Wut. Jetzt, nach zwei Wochen, erinnerte er sich klar an alles und auch daran, daß er damals gar nicht hatte verstehen können, woher ihm diese Wut kam. Sie war ihm bis heute dermaßen unverständlich geblieben, daß es ihm kein einziges Mal eingefallen war, seine den ganzen Abend während schlechte Laune in irgendeine Beziehung zu dieser morgendlichen Begegnung zu bringen. Aber der Herr mit dem Trauerflor tat selbst alles dazu, sich ins Bewußtsein zu drängen, denn er stieß am nächsten Tag auf dem Newskij Prospekt abermals mit Weltschaninoff zusammen und schaute ihn dabei wiederum so sonderbar an. Weltschaninoff spuckte aus, aber nachdem er es getan hatte,

staunte er selbst darüber. Allerdings, es gibt ja Physiognomien, die in uns vom ersten Blick an einen gänzlich gegenstands- und sinnlosen Widerwillen erwecken. «Ja, ich muß ihm bestimmt irgendwo begegnet sein», murmelte er nachdenklich, aber erst eine halbe Stunde nach dem Zusammenstoß. Den ganzen darauffolgenden Abend verbrachte er wieder in scheußlichster Laune; nachts hatte er sogar einen bösen Traum, und doch fiel es ihm nicht ein, in diesem trauerumflorten Herrn den Anlaß zu seiner neuen, besonderen Schwermut zu sehen, obschon er im Verlauf des Abends mehrmals an ihn dachte. Ja er wurde sogar nebenbei wütend darüber, daß «solch ein Nichts» sich unterfing, ihm so oft in den Sinn zu kommen; und nun gar noch seine Erregtheit diesem «Nichts» zuzuschreiben, das hätte er wahrscheinlich als demütigend empfunden, wenn ihm überhaupt der Gedanke daran gekommen wäre. Zwei Tage danach begegneten sie sich wieder, diesmal in der Menge beim Aussteigen aus einem Newa-Dampfer. Dieses dritte Mal war Weltschaninoff bereit zu schwören, der Herr mit dem Trauerflor habe ihn erkannt und eine Bewegung auf ihn zu gemacht, sei aber von der Menge abgedrängt und mitgezogen worden. Er schien sich sogar «erdreistet» zu haben, ihm die Hand hinzustrecken. Vielleicht hatte er ihn auch noch angerufen und beim Namen genannt. Das letzte hatte Weltschaninoff übrigens nicht mehr ganz zu unterscheiden vermocht, aber ... «Wer ist nur diese Canaille? Warum kommt er nicht auf mich zu, wenn er mich erkannt hat und mir begegnen will?» dachte er boshaft, während er eine Droschke bestieg, um zum Smolnij-Kloster zu fahren. Eine halbe Stunde später schon stritt und lärmte er mit seinem Rechtsanwalt, aber abends und nachts befand er sich wiederum in unsagbar widerwärtiger Gemütsverfassung. «Bekomme ich am Ende die Gelbsucht?» fragte er sich argwöhnisch und schaute in den Spiegel.
Dies war die dritte Begegnung gewesen. Im Verlauf der folgenden fünf Tage traf er «überhaupt keinen», und von der «Canaille» war nicht mehr die Rede. Aber so zwischenhinein

kam ihm immer wieder dieser Herr mit dem Trauerflor um den Hut in den Sinn. Gewissermaßen verwundert ertappte Weltschaninoff sich bei dem Gedanken: «Habe ich etwa Sehnsucht nach ihm? Hm! Er muß aber viel in Petersburg zu tun haben, — und um wen trägt er denn Trauer? Offenbar hat er mich erkannt, aber ich ihn nicht. Warum tragen die Menschen auch nur so einen Trauerflor? Es steht ihnen im Grunde gar nicht... Mir ist, als müßte ich ihn erkennen, wenn ich mich herbeiließe, ihn näher anzuschauen...»

Und es schien, daß etwas in seiner Erinnerung sich zu regen begann wie ein bekanntes, aber plötzlich aus irgendeinem Grunde entfallenes Wort, dessen man mit aller Anstrengung habhaft werden will; man kennt es sehr gut und weiß auch, daß man es kennt, weiß ebenso, was es bedeutet, aber es will einem nicht in den Sinn kommen, so sehr man sich auch darum bemüht.

«Das war... das war vor langer Zeit... und es war irgendwo... da war... da war... — ja hol's der Teufel, was da war oder was da nicht war!» rief er plötzlich voller Wut aus. «Ist's denn diese Canaille überhaupt wert, daß man sich ihretwegen so abmüht und demütigt?»

Er geriet in fürchterlichen Zorn. Aber abends, als ihm wieder einfiel, daß er zornig geworden war und noch dazu «fürchterlich», schämte er sich: als hätte ihn jemand bei etwas ertappt. Er wurde ganz verlegen und staunte:

«Folglich gibt es doch Gründe, warum ich so wütend werde... so mir nichts — dir nichts... bei der bloßen Erinnerung...»

Er dachte nicht zu Ende.

Am nächsten Tag geriet er in noch größere Wut, aber diesmal schien ihm, er habe Grund dazu und sei vollkommen im Recht; die «Frechheit war unerhört»: eine vierte Begegnung hatte nämlich stattgefunden. Wieder war der Herr mit dem Trauerflor erschienen, und diesmal so, als wäre er aus dem Erdboden hervorgeschossen. Weltschaninoff hatte eben den Staatsrat auf der Straße erwischt, jenen Herrn, der ihm überaus wichtig erschien, hinter dem er her war und den er vergebens auf seinem Sommersitz zu fassen versucht hatte; denn dieser Beamte, den Weltschaninoff kaum kannte, den er aber in Sachen seines Prozesses dringend brauchte, ließ sich weder damals noch später sprechen und schien ihm sogar auszuweichen, da er seinerseits offenbar um keinen Preis mit Weltschaninoff zusammentreffen wollte. Erfreut, endlich seiner habhaft geworden zu sein, schritt Weltschaninoff eilig neben ihm her, schaute ihm in die Augen und spannte alle seine Kräfte an, um diesen grauhaarigen Schlaufuchs auf ein Thema zu bringen, in ein Gespräch zu verwickeln, in welchem er sich vielleicht versprechen, vielleicht ganz nebenbei ein gesuchtes und längst erwartetes Wörtchen fallen lassen würde; aber der graue Schlaufuchs hatte es faustdick hinter den Ohren, lächelte vor sich hin und schwieg vielsagend, — und eben in diesem höchst spannenden und sorgenreichen Augenblick erkannte Weltschaninoff auf dem gegenüberliegenden Trottoir den Herrn mit dem Trauerflor um den Hut. Er stand da und betrachtete sie beide höchst aufmerksam; er beobachtete sie, das war ganz offensichtlich, und er schien sogar zu schmunzeln.

«Das soll der Teufel holen!» schäumte Weltschaninoff vor Wut. Er hatte sich von dem Beamten verabschiedet und schrieb den gehabten Mißerfolg dem Erscheinen dieses «Frechlings» zu. «Zum Teufel, spioniert er mir etwa nach? Ja, es ist ganz offensichtlich, er verfolgt mich! Ist er vielleicht von jemandem beauftragt und ... und ... Bei Gott, er hat geschmunzelt! Ich werde ihn braun und blau schlagen ... Schade, daß ich nie einen Stock bei mir trage! Ich werde mir einen kaufen! Das kann ich nicht so weitergehen lassen! Wer ist er denn? Ich will unbedingt wissen, wer er ist.»

Schließlich, genau drei Tage nach dieser (vierten) Begegnung, sehen wir Weltschaninoff in seinem Restaurant, wie bereits beschrieben, in nun völlig ernsthaft erregter und sogar beinahe aufgelöster Verfassung. Sich dies nicht eingestehen, das konnte selbst er nicht, trotz seines Stolzes. War er doch schließlich, nachdem er alle Umstände erwogen hatte, gezwungen zu erraten, daß kein anderer zu seiner Trübsal, dieser seiner *besonderen* Schwermut und seiner bereits zwei Wochen währenden Erregung Anlaß gegeben hatte als eben dieser trauerumflorte Herr, «ungeachtet seiner ganzen Nichtigkeit».

«Ich gebe zu», dachte Weltschaninoff, «daß ich ein Hypochonder und folglich bereit bin, aus einer Mücke einen Elefanten zu machen. Aber wird es mir denn dadurch leichter, daß dies alles vielleicht nur ein Produkt meiner Phantasie ist? Denn wenn jeder solche Schelm in der Lage wäre, in einem Menschen das Unterste zu oberst zu kehren, dann ist das doch... dann ist das doch...»

Und in der Tat trat bei der heutigen Begegnung (der fünften), die Weltschaninoff derart erregt hatte, der Elefant fast ganz in Gestalt einer Mücke auf: Der Herr mit dem Trauerflor schoß, wie schon früher, an ihm vorbei, aber diesmal ohne Weltschaninoff anzustarren und ohne sich den Anschein zu geben — wie die anderen Male —, daß er ihn kenne, sondern ganz im Gegenteil gesenkten Blickes und sichtlich mit dem Wunsch, unbemerkt zu bleiben. Weltschaninoff drehte sich um und rief ihm aus voller Kehle nach:

«Heh! Sie, Trauerflor am Hut! Jetzt verstecken Sie sich! Bleiben Sie stehen: wer sind Sie?»

Die Frage (und überhaupt das Nachrufen) war ganz sinnlos. Aber das fiel Weltschaninoff erst auf, als es zu spät war. Auf diese Anrede wandte der Herr sich um, blieb einen Augenblick lang verwirrt stehen, lächelte, schien etwas sagen, etwas tun zu wollen — befand sich eine Minute lang in entsetzlicher Unentschlossenheit, drehte sich dann plötzlich um und lief, ohne zurückzuschauen, davon. Voller Staunen blickte Weltschaninoff ihm nach.

«Sollte», dachte er, «sollte nicht er mir — nein, in der Tat —, sondern im Gegenteil ich ihm nachstellen und das Ganze daran liegen?»

Als er gegessen hatte, begab er sich so schnell wie möglich

aufs Landhaus des Beamten. Er traf den Herrn nicht zu Hause Man sagte ihm, daß er schon seit dem frühen Morgen weg sei und wohl kaum vor der dritten oder vierten Nachtstunde heimkehren könne, da er zu einer Geburtstagsfeier in der Stadt bleiben werde. Das war derart «kränkend», daß Weltschaninoff in seiner ersten Wut beschloß, auch zu dieser Geburtstagsfeier zu gehen, und sich wirklich dorthin aufmachte. Während der Fahrt besann er sich aber, fand, daß das doch zu weit gehe, entließ die Droschke mitten auf dem Weg und schleppte sich zu Fuß zu seiner eigenen Behausung in der Nähe des Großen Theaters. Er hatte das Bedürfnis nach Bewegung. Um die erregten Nerven zu beruhigen, muß man früh zu Bett gehen, auf jeden Fall, trotz Schlaflosigkeit. Um aber einschlafen zu können, muß man wenigstens müde sein. So erreichte er denn seine Wohnung um halb elf, da der Weg sich wirklich lang hinzog, und war auch sehr ermüdet.

Seine seit März gemietete Wohnung, die er so schadenfroh schlechtmachte, über sie fluchte, von der er zu sich selbst sagte, sie stelle «nur einen Übergang» dar und er sei in Petersburg nur dieses «verdammten Rechtsstreites wegen hängengeblieben» — diese Wohnung war gar nicht so übel und unangemessen, wie ihm schien. Der Eingang allerdings war etwas düster und in der Nähe des Tores «verunreinigt». Aber die Wohnung selbst, die im zweiten Stock lag, bestand aus zwei großen, hohen und hellen Zimmern, die voneinander durch ein dunkles Entrée getrennt waren, so daß eines mit den Fenstern auf die Straße, das andere auf den Hof schaute. Neben dem Zimmer, dessen Fenster auf den Hof gingen, befand sich seitlich anschließend noch ein kleines Kabinett, das eigentlich als Schlafraum dienen sollte. Weltschaninoff aber hatte dort in reichlicher Unordnung Bücher und Papiere herumliegen. Er schlief in einem der großen Zimmer, und zwar in dem, dessen Fenster auf die Straße blickten. Das Bett wurde ihm auf dem Diwan gerichtet. Man begegnete schönen, wenn auch abgenutzten Möbeln und traf außerdem auf einige sehr kostbare Gegenstände—Reste ehemaligen Wohlstandes: Porzellan- und Bronzespielereien, echte, große bucharische Teppiche. Sogar zwei recht gute Bilder waren erhalten, aber alles befand sich in sichtlicher Unordnung, war nicht an seinem Platz und sogar verstaubt, seitdem die Aufwartefrau Pelageja nach Nowgorod gefahren war, um ihre Verwandte zu besuchen, und Weltschaninoff sich selbst überlassen hatte. Die merkwürdige Tatsache, daß er, ein lediger Mann von Welt, der immer noch den Schein seines Standes aufrechtzuerhalten wünschte, nur einen einzigen und noch dazu weiblichen Dienstboten hatte, zwang Weltschaninoff beinahe zum Erröten, obwohl er mit Pelageja sehr zufrieden war. Im Frühjahr hatte sie sich bei ihm gemeldet, als er gerade diese Wohnung mietete. Sie kam von einer ihm bekannten Familie, die ins Ausland gereist war, und brachte seinen ganzen Haushalt in Ordnung. Nach ihrer Abreise konnte er sich nicht entschließen, eine andere weibliche Hilfskraft zu nehmen. Auf kurze Zeit aber einen Diener zu engagieren, lohnte sich nicht, und zudem konnte er männliches Personal nicht leiden. So hatte es sich ergeben, daß nun zum Aufräumen seiner Zimmer jeden Morgen die Schwester der Hausmeisterin, Mawra, kam, der er beim Verlassen des Hauses auch den Schlüssel ließ, die genau nichts machte, nur sein Geld nahm und, wie es schien, ihn noch dazu bestahl. Er aber ließ den Dingen ihren Lauf und war sogar zufrieden, völlig allein in seiner Wohnung sein zu können. Aber alles hatte sein Maß; seine Nerven weigerten sich in gewissen galligen Augenblicken, diese ganze «Widerwärtigkeit» noch länger zu ertragen, und er betrat, wenn er nach Hause kam, seine Zimmer fast immer mit einem Gefühl des Ekels.

Dieses Mal ließ er sich kaum Zeit zum Auskleiden, warf sich aufs Bett und beschloß in höchster Gereiztheit, an nichts zu denken und um jeden Preis «im gleichen Augenblick» einzuschlafen. Und merkwürdig: er schlief ein, kaum daß sein Kopf das Kissen berührt hatte. Das war ihm schon fast einen Monat lang nicht widerfahren. Er schlief bis gegen drei Uhr, aber sehr unruhig, und hatte so merkwürdige Träume, als läge er im Fieber. Es ging um ein Verbrechen, das er angeblich begangen und verheimlicht haben sollte, dessen ihn aber einstimmig lauter ihm völlig fremde Leute beschuldigten, die unaufhaltsam von irgendwoher zu ihm hereinfluteten. Eine riesige Menge hatte sich schon angesammelt, aber der Strom hörte immer noch nicht auf, so daß die Türe nie geschlossen wurde und sperrangelweit offenstand. Sein ganzes Interesse konzentrierte sich schließlich auf einen merkwürdigen, ihm seltsam nahen und bekannten Menschen, der schon gestorben war und jetzt aus irgendeinem Grunde auch zu ihm hereinkam. Am allerquälendsten war, daß Weltschaninoff nicht wußte, wer dieser Mensch war, seinen Namen vergessen hatte und sich dessen beim besten Willen nicht entsinnen konnte. Er wußte nur, daß er ihn vor langer Zeit einmal sehr geliebt hatte. Von diesem Menschen schienen alle übrigen ein entscheidendes Wort zu erwarten: entweder die Anklage oder die Rechtfertigung Weltschaninoffs, und alle waren ungeduldig. Dieser eine aber saß unbeweglich am Tisch, schwieg und wollte nicht sprechen. Der Lärm verstummte nicht, die Gereiztheit schwoll an, und plötzlich, weil dieser Mensch nicht sprechen wollte, versetzte Weltschaninoff ihm in maßloser Wut einen furchtbaren Schlag und empfand einen seltsamen Genuß dabei. Sein Herz erstarb vor Entsetzen und Leid über diese seine Handlung, aber in eben diesem Ersterben bestand ja auch der Genuß. Vor Wut völlig besinnungslos, schlug er ein zweites und ein drittes Mal zu, und in einem Rausch von Raserei und Schrecken, der dem Irrsinn nahe war, in dem aber auch unendlicher Genuß lag, zählte er die Streiche schon nicht mehr, sondern hieb unaufhörlich weiter auf ihn ein. Er wollte DAS ganz und gar zerstören. Plötzlich geschah etwas: alle stießen einen entsetzlichen Schrei aus, wandten sich erwartungsvoll zur Tür, und in diesem Augenblick wurde dreimal hell und mit solcher Kraft an die Hausglocke geschlagen, als wollte man sie von der Tür reißen. Weltschaninoff erwachte, kam sofort zu sich, sprang zielstrebig vom Bett auf und stürzte zur Tür; er war vollständig davon überzeugt, daß das Schellen der Glocke kein Traum gewesen war, sondern daß in diesem Augenblick tatsächlich jemand bei ihm geklingelt habe. «Es wäre zu unnatürlich, wenn ich einen so klaren, so wirklichen, so vernehmbaren Klang nur geträumt haben sollte!»

Aber zu seinem Erstaunen erwies sich auch das Schellen der Glocke als Traum. Er öffnete die Tür, trat auf den Treppenabsatz hinaus — aber niemand war da. Die Glocke bewegte sich nicht. Staunend, zugleich jedoch froh kehrte er ins Zimmer zurück. Als er die Kerze anzündete, fiel ihm ein, daß er die Tür nur angelehnt und nicht verschlossen und verriegelt hatte. Schon oft hatte er, wenn er nach Hause kam, das Abschließen vergessen, der Angelegenheit aber keine Bedeutung beigemessen. Pelageja hatte ihn deswegen auch einigemale getadelt. Jetzt aber kehrte er ins Entrée zurück, um die Tür zu verschließen, öffnete sie nochmals, schaute in den Treppenflur hinaus und schob dann nur den Riegel vor; den Schlüssel umzudrehen war er doch zu faul. Die Uhr schlug halb drei, er mußte also bereits drei Stunden lang geschlafen haben.

Der Traum hatte ihn derart erregt, daß er keine Lust empfand, sich gleich wieder niederzulegen, und beschloß, etwa eine halbe Stunde lang im Zimmer auf und ab zu gehen — «Zeit, eine Zigarre zu rauchen». Er schlüpfte in den Schlafrock, ging zum Fenster, zog die schwere Stoffgardine hoch und den weißen Vorhang dahinter ebenfalls. Die hellen Petersburger Sommernächte erzeugten immer eine nervöse Gereiztheit in ihm, und in letzter Zeit steigerten sie auch noch seine Schlaflosigkeit derart, daß er vor etwa zwei Wochen diese schweren Stoffgardinen hatte machen lassen, die jeden Lichtschimmer abhielten, wenn man sie ganz herunterzog. Jetzt ließ er das Licht ins Zimmer, vergaß, die auf dem Tisch stehende brennende Kerze zu löschen, und begann auf und ab zu gehen, von einem schweren und schmerzenden Gefühl bedrückt. Der Eindruck des Traumes wirkte nach. Immer noch litt er unter dem Entsetzen, seine Hand gegen diesen Menschen erhoben und ihn geschlagen zu haben.

«Aber diesen Menschen gibt es doch gar nicht und hat es auch nie gegeben, alles war doch nur ein Traum, warum stöhne ich denn?»

Verbissen und mit dem Gefühl, seine sämtlichen Sorgen träfen sich in dieser einen Idee, dachte er, daß er entschieden krank sei, ein «kranker Mensch» zu werden beginne.

Es fiel ihm meist schwer, sich das Älter- oder Anfälligerwerden einzugestehen. In schlimmen Augenblicken aber übertrieb er vor Wut sowohl das eine wie das andere, um sich selbst zu reizen.

«Das Alter! Entschieden, ich werde alt», murmelte er, auf und ab schreitend, «ich verliere das Gedächtnis, sehe Geister, träume, höre Glocken schellen... Der Teufel soll's holen! Ich weiß aus Erfahrung, daß solche Träume bei mir immer das Nahen eines Fiebers anzeigen... Ich bin überzeugt, diese ganze Geschichte mit dem Trauerflor ist am Ende auch nur ein Traum. Gestern habe ich bestimmt den richtigen Gedanken gehabt: ich, ich stelle ihm nach und nicht er mir. Ein ganzes Poem habe ich um ihn herum verfaßt, und vor Schrecken verkrieche ich mich selbst unter den Tisch. Warum nenne ich ihn eine Canaille? Er ist womöglich ein höchst anständiger Mensch. Das Gesicht ist allerdings unangenehm, obwohl es nichts auffallend Häßliches hat. Gekleidet ist er wie alle. Nur sein Blick ist irgendwie... Schon wieder fange ich an! Schon wieder denke ich an ihn! Was, zum Teufel, geht mich sein Blick an? Kann ich denn ohne ihn etwa nicht leben? Ohne diesen — Galgenbruder?»

Unter all den vielen Gedanken, die ihm sprungweise in den Sinn kamen, gab es nur einen, der ihn wirklich empfindlich traf: plötzlich schien es ihm, er dürfe überzeugt sein, daß dieser Herr mit dem Trauerflor irgendwann einmal mit ihm gut bekannt gewesen sei und daß er jetzt, wenn er ihm begegne, sich über ihn lustig mache, weil er ein ehemaliges, großes Geheimnis kenne und ihn jetzt in so erbärmlichem Zustand sehe. Weltschaninoff ging automatisch auf das Fenster zu, um es zu öffnen und die Nachtluft einzuatmen und — und fuhr plötzlich am ganzen Körper zusammen: ihm war, als habe sich vor seinen Augen etwas Ungewöhnliches und Unerhörtes zugetragen.

Schnell sprang er hinter den Wandvorsprung am Fenster, das er noch nicht geöffnet hatte, und hielt sich dort versteckt: Auf dem gegenüberliegenden, menschenleeren Trottoir erblickte er gerade vor seinem Hause den Herrn mit dem Trauerflor am Hut. Der Herr stand auf dem Trottoir und hatte sein Gesicht dem Fenster zugewandt, augenscheinlich ohne Weltschaninoff bemerkt zu haben, und schaute angespannt und neugierig das Haus an, als überlege er. Er schien etwas abwägen und irgendeinen Entschluß fassen zu wollen: er hob die Hand und legte den Finger an die Stirn. Schließlich hatte er sich entschieden: er schaute sich flüchtig um und schickte sich eilig an, auf Zehenspitzen die Straße zu überqueren. Dann trat er durch die kleine Pforte im Tor des Hauses (die im Sommer bis drei Uhr nachts nicht zugeriegelt wurde). «Er kommt zu mir», zuckte es Weltschaninoff durch den Sinn, und plötzlich lief er zielgerichtet und ebenfalls auf Zehenspitzen ins Entrée zur Eingangstür und — erstarrte vor ihr, erstarb in Erwartung. Seine zuckende Rechte hielt ganz leicht den eben vorgeschobenen Riegel, und mit größter Anspannung horchte er auf das Geräusch der erwarteten Schritte im Treppenflur.

Sein Herz pochte so laut, daß er Angst hatte, die schleichenden Schritte des Fremden auf der Treppe zu überhören. Er konnte nicht verstehen, was geschah, empfand aber alles in verzehnfachter Lebendigkeit und Fülle. Als flösse der gehabte Traum mit der Wirklichkeit zusammen. Weltschaninoff war von Natur aus mutig. Er liebte es, manchmal in Erwartung einer Gefahr seine Furchtlosigkeit bis zu einer gewissen Prahlerei zu treiben, auch dann, wenn ihm niemand zuschaute, nur so, um sich selbst zu genießen. Jetzt aber kam noch etwas anderes dazu. Der Hypochonder von vorhin und der mißtrauische Nörgler hatten sich vollständig verwandelt. Das war nicht mehr der Mensch von eben. Ein nervöses, unhörbares Lachen durchzuckte ihn. Durch die geschlossene Tür erriet er jede Bewegung des Fremden.

«Aha! Jetzt steigt er herauf, jetzt ist er angekommen, er schaut sich um, er horcht nach unten, er atmet kaum, schleicht .. aha! Jetzt hat er die Klinke ergriffen, jetzt zieht er an ihr. Er rechnet damit, daß bei mir nicht geschlossen ist! Wieder versucht er zu öffnen, ja, glaubt er denn, der Riegel werde nachgeben? Kann sich nicht trennen! Tut ihm leid, vergeblich gekommen zu sein!»

Und in der Tat schien auch alles so zu geschehen, wie er es sich ausmalte; irgend jemand stand tatsächlich hinter der Tür und hantierte leise und lautlos am Schloß, zog an der Klinke und — verfolgte «natürlich gewisse Absichten». Weltschaninoff hatte bereits seinen Entschluß gefaßt. Mit einer Art von Begeisterung wartete er den rechten Augenblick ab, hielt sich bereit, stellte sich in Positur. Nur zu gerne wollte er plötzlich den Riegel fortschieben, die Tür aufreißen und dem «Ungeheuer» Auge in Auge gegenüberstehen. «Und was, wenn ich fragen darf, suchen Sie hier, Teuerster?»

Und so geschah es auch: als der rechte Augenblick gekommen war, schob er plötzlich den Riegel zurück, stieß die Tür auf und — prallte fast an den Herrn mit dem Trauerflor.

III. PAWEL PAWLOWITSCH TRUSSOZKIJ

Dieser schien da, wo er gerade war, zu versteinern. Die beiden Männer standen einander gegenüber, hier auf der Schwelle, und schauten sich regungslos in die Augen. So vergingen einige Augenblicke und — plötzlich erkannte Weltschaninoff seinen Gast!

Zur gleichen Zeit erriet jener, daß Weltschaninoff ihn erkannt hatte; ein Aufleuchten der Augen zeigte es an. Im Nu schmolz sein Gesicht zum süßesten Lächeln . . .

«Ich habe wohl das Vergnügen, mit Aleksej Iwanowitsch zu sprechen?» fragte er mit einer zärtlichen, fast singenden Stimme, die in Anbetracht der Umstände derart unpassend war, daß sie komisch wirkte.

«Ja, sind Sie denn wirklich Pawel Pawlowitsch Trussozkij?» ließ Weltschaninoff sich schließlich betroffen vernehmen.

«Vor etwa neun Jahren kannten wir uns in T., und — wenn Sie mir erlauben wollen, Sie daran zu erinnern — wir waren sogar befreundet.»

«Ja . . . wollen wir annehmen . . . aber — jetzt ist es drei Uhr nachts, und Sie haben ganze zehn Minuten lang probiert, ob meine Tür abgeschlossen sei oder nicht . . .»

«Drei Uhr!» rief der Gast, wobei er seine Uhr hervorzog und schmerzlich erstaunt schien, «ja, drei Uhr! Entschuldigen Sie, Aleksej Iwanowitsch, ich hätte es mir überlegen sollen, als ich kam, ich schäme mich wirklich. Ich will in den nächsten Tagen vorbeikommen und Ihnen alles erklären, aber jetzt . . .»

«Oh nein! Wenn Sie schon erklären wollen, dann bitte jetzt, und zwar sofort!» ereiferte sich Weltschaninoff, «bitte schön, hier über die Schwelle. Sie haben doch wohl auch die Absicht gehabt, hereinzukommen. Sie sind ja nicht mitten in der Nacht gekommen, um sich nur an den Schlössern zu versuchen.»

Er war aufgeregt und zugleich auch betroffen und fühlte, daß er sich nicht sammeln konnte. Er schämte sich sogar ein wenig: weder Geheimnis noch Gefahr — nichts steckte hinter der ganzen Phantasmagorie, nur die dumme Figur irgendeines Pawel Pawlowitsch. Aber eigentlich glaubte er gar nicht, daß alles so einfach sei; unklar und voller Schrecken ahnte er etwas kommen. Er schob seinen Gast in einen Sessel und nahm selbst ungeduldig einen Schritt vom Sessel entfernt auf dem Bettrand Platz, beugte sich vor, stützte sich mit den Handflächen auf die Knie und wartete gereizt, daß der andere zu sprechen beginne. Gierig betrachtete er ihn und versuchte sich zu erinnern. Aber sonderbarerweise schwieg der andere und schien gar nicht zu begreifen, daß er «verpflichtet» sei, unverzüglich zu sprechen. Im Gegenteil schaute er seinerseits mit erwartungsvollem Blick den Hausherrn an. Möglich, daß er einfach eingeschüchtert war und zu Anfang eine gewisse Peinlichkeit empfand wie eine Maus in der Falle. Aber Weltschaninoff geriet in Wut.

«Nun!» rief er, «ich denke, Sie sind weder ein Phantom noch eine Traumgestalt! Sind Sie etwa gekommen, um den toten Mann zu spielen? Belieben Sie sich zu erklären, Väterchen!»

Der Gast bewegte sich, lächelte und begann vorsichtig:

«Wie ich sehe, wundert es Sie vor allem, daß ich zu dieser Stunde gekommen bin und — unter solch besonderen Umständen ... Ja, wenn ich an alles Gewesene zurückdenke und daran, wie wir uns getrennt haben, kommt es sogar mir selbst etwas sonderbar vor. Aber im übrigen: ich hatte gar nicht die Absicht einzutreten, und wenn es so gekommen ist, so ganz unerwartet für mich ...»

«Wieso unerwartet? Ich habe doch selbst am Fenster gesehen, wie Sie auf Zehenspitzen die Straße überquerten.»

«Ach, Sie haben es gesehen! Nun, dann wissen Sie wahrscheinlich mehr darüber als ich! Aber ich reize Sie nur ... Es ist nämlich so: Ich bin schon vor etwa drei Wochen in meinen Angelegenheiten hierhergekommen ... Ich bin doch Pawel Pawlowitsch Trussozkij, Sie haben mich ja erkannt. Meine Angelegenheit besteht darin, daß ich mich um die Versetzung in ein anderes Gouvernement, um eine andere Dienststelle bemühe, um eine Stelle mit bedeutender Gehaltserhöhung ... Aber, übrigens, das gehört nicht zur Sache! ... Die Hauptsache ist, wenn Sie wollen, die, daß ich mich hier schon die dritte Woche herumdrücke und — wie mir scheint — selbst meine Angelegenheiten verzögere, mit Absicht, das heißt jene Angelegenheit der Versetzung, und fürwahr, wenn sie mir auch gelingen sollte, ich wäre imstande zu vergessen, daß sie gelungen ist, und würde aus Ihrem Petersburg nicht fortfahren — in meiner gegenwärtigen Stimmung. Ich drücke mich hier herum, als hätte ich mein Ziel verloren und als freute es mich sogar, daß ich es verloren habe... in meiner gegenwärtigen Stimmung!»

«Was ist denn das für eine gegenwärtige Stimmung?» fragte Weltschaninoff angewidert.

Der Gast richtete seinen Blick auf ihn, hob seinen Hut und wies, aber jetzt sicher und würdevoll, auf den Trauerflor.

«Ja, eben *diese* Stimmung!»

Stumpfsinnig schaute Weltschaninoff bald auf den Trauerflor, bald auf sein Gegenüber. Und plötzlich überflutete eine jäh aufsteigende Röte sein Gesicht, und er geriet in Erregung:

«Doch nicht Natalja Wassiljewna?»

«Doch sie! Natalja Wassiljewna! Im März dieses Jahres... Schwindsucht, und das beinahe plötzlich, kaum zwei, drei Monate! Und ich — ich bin, wie Sie sehen — übriggeblieben!»

Als diese Worte ausgesprochen waren, ließ der Gast in starker Gemütsbewegung die Arme sinken und hielt den linken mit dem trauerumflorten Hut wie nach einem Gruß; dabei beugte er tief sein kahles Haupt und verblieb in dieser Stellung mindestens zehn Sekunden lang.

Dieser Anblick und diese Geste wirkten beinahe erquickend auf Weltschaninoff. Ein spöttisches, ja sogar schelmisches Lächeln glitt über seine Lippen — aber nur für einen Augenblick: Die Nachricht vom Tode dieser Dame (mit der er vor langer Zeit bekannt gewesen war und die er schon so lange vergessen hatte) machte auf ihn ganz unerwartet einen erschütternden Eindruck.

«Ist es möglich?» murmelte er. «Warum sind Sie denn nicht gleich zu mir gekommen? Und warum haben Sie es mir nicht mitgeteilt?»

«Ich danke Ihnen für die Teilnahme, die Sie mir beweisen und die ich schätze, ungeachtet...»

«Ungeachtet?»

«Ungeachtet der langjährigen Trennung haben Sie so viel Teilnahme an meinem Kummer und sogar an mir selbst gezeigt, daß ich ganz natürlicherweise Dankbarkeit empfinde. Nur dies wollte ich dartun. Nicht etwa, daß ich an meinen Freunden zweifle, ich habe auch hier treue Freunde, die ich sogleich aufsuchen könnte (zum Beispiel Stepan Iwanowitsch Bagautoff), — aber seit der Zeit unserer Bekanntschaft, Aleksej Iwanowitsch (oder sagen wir Freundschaft, an die ich voller Anerkennung zurückdenke), sind ja neun Jahre vergangen, Sie sind nie wieder zu uns zurückgekehrt, geschrieben haben wir einander auch nicht...»

Der Gast sprach, als lese er dies alles ab, schaute aber die ganze Zeit über zu Boden, obwohl er selbstverständlich auch alles sah, was über dieser Blickrichtung geschah. Der Gastgeber hatte nun ebenfalls Zeit gehabt, sich ein wenig zu sammeln. Während er Pawel Pawlowitsch zuhörte, stand er unter einem überaus seltsamen Eindruck, der sich immer mehr verstärkte. Er blickte Pawel Pawlowitsch interessiert an und versuchte ihn zu durchschauen. Plötzlich, als dieser einen Augenblick innehielt, überschwemmten die buntesten und unerwartesten Gedanken seinen Kopf.

«Ja, warum habe ich Sie denn bis jetzt nie erkannt?» rief er, sich belebend. «Wir trafen uns doch vielleicht fünfmal auf der Straße!»

«Ja, auch ich erinnere mich, immer wieder stieß ich auf Sie, — etwa zwei, drei Mal...»

«Das heißt, ich stieß immer wieder auf Sie und nicht Sie auf mich!»

Weltschaninoff erhob sich und mußte plötzlich laut und unerwartet lachen. Pawel Pawlowitsch hielt inne, schaute ihn aufmerksam an, fuhr aber gleich fort:

«Sie haben mich nicht wiedererkannt, weil Sie erstens mein Aussehen ganz vergessen haben konnten und weil ich schließlich in der Zwischenzeit auch noch die Pocken gehabt habe, von denen einige Spuren im Gesicht zurückgeblieben sind.»

«Die Pocken? Ja, tatsächlich, er hat die Pocken gehabt! Wo haben Sie denn die —»

«Aufgeschnappt? Er geschieht vieles in dieser Welt, Aleksej Iwanowitsch. Man denkt an nichts Böses, und plötzlich hat man sie!»

«Aber trotz allem, es ist schon sehr seltsam. Nun, fahren Sie fort, fahren Sie fort, teurer Freund!»

«Obschon auch ich Ihnen begegnet bin...»

«Halt! Warum haben Sie eben gesagt: aufgeschnappt? Ich wollte mich viel höflicher ausdrücken. Nun, fahren Sie fort, fahren Sie fort!»

Aus irgendeinem Grunde wurde ihm immer leichter und heiterer zumute. Die Erschütterung machte ganz anderen Eindrücken Platz. Mit großen Schritten ging er im Zimmer auf und ab.

«Obschon auch ich Ihnen begegnet bin und es mir sogar fest vorgenommen hatte, als ich nach Petersburg fuhr, unbedingt nach Ihnen auszuschauen... aber, ich wiederhole, ich bin jetzt in einer solchen Stimmung... und geistig so gebrochen seit dem Monat März...»

«Ach ja! Gebrochen seit dem Monat März... Erlauben Sie, rauchen Sie?»

«Sie wissen doch, in Gegenwart von Natalja Wassiljewna...»

«Nun ja, nun ja, aber seit dem Monat März?»

«Vielleicht eine Zigarette.»

«Hier sind Zigaretten. Zünden Sie sich eine an und fahren Sie fort! Fahren Sie fort, Sie haben mich schrecklich...»

Weltschaninoff nahm selbst eine Zigarre und setzte sich hastig wieder aufs Bett. Pawel Pawlowitsch hielt inne.

«Aber Sie, Sie sind ja in entsetzlicher Erregung, sind Sie auch gesund?»

«Ach, zum Teufel mit meiner Gesundheit!» Weltschaninoff geriet plötzlich wieder in Wut. «Fahren Sie fort!»

Der Gast aber nahm an Zufriedenheit und Selbstsicherheit immer mehr zu, je erregter sein Gegenüber wurde.

«Ja, was soll ich noch erzählen?» begann er wieder. «Stellen Sie sich einen niedergeschlagenen Menschen vor, das heißt nicht einfach einen niedergeschlagenen, sondern einen sozusagen endgültig zerschmetterten, einen Menschen, der nach zwanzigjähriger Ehe ein neues Leben beginnt und durch die staubigen Straßen schlendert, ohne Ziel, wie in der Steppe, fast in einem Zustand von Abwesenheit, und der in dieser Abwesenheit noch einen gewissen tröstenden Rausch empfindet und genießt. Es ist ja nur natürlich, daß ich dann, wenn mir ein Bekannter oder gar ein aufrichtiger Freund begegnet, einen Kreis um diesen mache, nur um in einem solchen Augenblick nicht auf ihn zugehen zu müssen, das heißt in einem Augenblick der Abwesenheit. Und in einem anderen Augenblick kommt einem alles in den Sinn, und das Verlangen erfaßt einen, wenigstens irgendeinen Zeugen und Teilnehmer des so Nahen, aber unwiederbringlich Vergangenen zu sehen, und das Herz gerät einem derart ins Pochen, daß man es wagt, sich nicht nur am Tage, nein, auch nachts in die Arme des Freundes zu werfen, auch wenn man gezwungen sein sollte, ihn zu diesem Zweck in der vierten Morgenstunde aus dem Schlaf zu reißen. Nun, ich habe mich nur in der Stunde geirrt, nicht aber in der Freundschaft: denn in eben diesem Augenblick wurde ich mehr als belohnt. Was nun die Stunde betrifft, wahrlich, so dachte ich, weil ich in dieser Stimmung war, es sei erst zwölf Uhr. So schlürft man seinen eigenen Kummer, und es ist, als berauschte man sich dran. Und es ist sogar nicht einmal so sehr der Kummer als dieser Neuheits-Zustand, der mir so zusetzt.»

«Wie merkwürdig Sie sich doch ausdrücken!» bemerkte Weltschaninoff etwas düster. Er war plötzlich wieder ganz ernst geworden.

«Jawohl, ich drücke mich sonderbar aus . . .»

«Aber — Sie scherzen doch nicht etwa?»

«Scherzen!» rief Pawel Pawlowitsch gramvoll erstaunt, «und das in einem Augenblick, da ich verkünde —»

«Ach, schweigen Sie davon, ich bitte Sie!»
Weltschaninoff erhob sich und begann wieder im Zimmer
auf und ab zu gehen.
So verflossen etwa fünf Minuten. Auch der Gast machte Anstalten, sich zu erheben, aber Weltschaninoff schrie ihn an:
«Bleiben Sie sitzen! Bleiben Sie sitzen!», und sogleich ließ
jener sich gehorsam wieder in den Sessel fallen.
«Wie haben Sie sich aber doch verändert!» begann Weltschaninoff von neuem, wobei er plötzlich vor ihm stehenblieb, als
hätte dieser Gedanke ihn jählings überfallen. «Entsetzlich verändert! Ungewöhnlich! Ein ganz anderer Mensch!»
«Kein Wunder: neun Jahre!»
«Nein, nein, nein, nicht auf die Zahl der Jahre kommt es
an. Äußerlich haben Sie sich gar nicht Gott weiß wie sehr
verändert, sondern in einem anderen Sinne!»
«Auch da vielleicht: neun Jahre!»
«Oder: seit dem März!»
«He-he», schmunzelte Pawel Pawlowitsch, «Sie verfolgen
irgendeinen schelmischen Gedanken ... Aber, wenn ich fragen
darf, worin besteht denn eigentlich diese Veränderung?»
«Ach was! Früher war Pawel Pawlowitsch solid, so wohlge-
sittet, so ein Siebengescheiter war Pawel Pawlowitsch, und
jetzt — jetzt ist er ein richtiger Nichtsnutz geworden!»
Weltschaninoff befand sich in einem Zustand der Gereiztheit,
in dem die zurückhaltendsten Menschen mitunter beginnen,
Überflüssiges zu reden.
«Nichtsnutz! Finden Sie? Und kein Siebengescheiter mehr?
Kein Siebengescheiter?» kicherte voller Wonne Pawel Pawlo-
witsch.
«Ach was, Siebengescheiter! Jetzt womöglich schon ein ganz
‹Gescheiter›!» — «Ich bin gemein, aber diese Canaille ist noch
gemeiner! Und — was bezweckt er eigentlich?» überlegte Wel-
tschaninoff immer wieder.
«Ach, teuerster, ach, mein allerbester Aleksej Iwanowitsch!»
Der Gast geriet plötzlich in äußerste Erregung und bewegte

sich unruhig im Sessel. «Was geht uns das alles an? Wir sind doch jetzt nicht in der Öffentlichkeit, nicht in einer glänzenden Gesellschaft von Welt! Wir sind — zwei ehemalige alte und innige Freunde, wir sind sozusagen in vollster Herzlichkeit zusammengekommen und gedenken der wertvollen Verbundenheit, in der die Entschlafene ein so kostbares Glied war!» Und er schien von dem Flug seiner Gefühle derart hingerissen, daß er wieder — wie vorhin — sein Haupt beugte, das Gesicht jedoch bedeckte er diesmal mit dem Hut. Weltschaninoff betrachtete ihn aufmerksam, voller Unruhe und Widerwillen. «Und wenn er nur ein Narr ist?» zuckte es durch seinen Kopf. «Aber n-nein, n-nein! Er scheint nicht betrunken zu sein, — übrigens, vielleicht ist er doch betrunken: das Gesicht ist ganz rot. Und wenn er auch betrunken ist, es kommt aufs gleiche heraus. Was bezweckt er? Was will diese Canaille?»

«Entsinnen Sie sich, entsinnen Sie sich noch», rief Pawel Pawlowitsch, nach und nach den Hut vom Gesicht fortziehend, als werde er immer heftiger von Erinnerungen fortgerissen, «entsinnen Sie sich noch unserer Ausfahrten, unserer Abendunterhaltungen und Einladungen mit Tanz und unschuldigen Spielen bei Seiner Exzellenz, dem gastfreien Semjon Semjonowitsch? Und unserer abendlichen Lesestunden zu dritt? Und unserer ersten Begegnung, als Sie eines Morgens zu mir kamen, um Erkundigung in Ihren Sachen einzuziehen, und sogar mich anzuschreien begannen, und wie plötzlich Natalja Wassiljewna hereinkam und Sie nach zehn Minuten schon unser innigster Hausfreund geworden waren für die Dauer eines ganzen Jahres — genau wie in dem Stück ‹Die Provinzlerin› vom Herrn Turgenjeff . . .»

Weltschaninoff schritt langsam auf und ab, schaute zu Boden, hörte mit Ungeduld und Ekel zu, aber — hörte zu.

«Mir ist die ‹Provinzlerin› nie in den Sinn gekommen», unterbrach er, etwas aus der Fassung geraten, «und früher haben Sie nie mit piepsender Stimme gesprochen und nie in einem — so fremden Stil. Warum das?»

«In der Tat, ich pflegte früher mehr zu schweigen, das heißt, ich war schweigsamer», fiel Pawel Pawlowitsch eilig ein. «Sie wissen, ich liebte es mehr, zuzuhören, wenn die Entschlafene das Wort ergriff. Sie erinnern sich doch, wie gut sie sich unterhalten konnte, wie geistreich... Was nun ‹Die Provinzlerin› betrifft und besonders ‹Stupendjeff›, so haben Sie auch hier recht, weil wir später, mit der teuren Verstorbenen, in manchem stillen Augenblick Ihrer gedachten, als Sie schon fortgereist waren, und unsere erste Begegnung mit diesem Stück verglichen, — denn es hat auch in Wirklichkeit eine gewisse Ähnlichkeit. Und was den ‹Stupendjeff› betrifft —»

«Was für einen ‹Stupendjeff›, zum Teufel?» schrie Weltschaninoff und stampfte sogar bei dem Namen «Stupendjeff» aus Verlegenheit mit dem Fuße auf, weil dieser in ihm eine dumpfe, aber beunruhigende Erinnerung wachrief.

«‹Stupendjeff›, das ist eine Rolle, eine Theaterrolle, die Rolle des ‹Gatten› in dem Stück ‹Die Provinzlerin›», piepste mit süßester Stimme Pawel Pawlowitsch, «aber das bezieht sich auf eine andere Reihe kostbarer und herrlicher Erinnerungen, die zeitlich nach Ihrer Abreise aus T. liegen, als Stepan Michailowitsch Bagautoff uns mit seiner Freundschaft beschenkte, ganz wie Sie, und das dann für volle fünf Jahre.»

«Bagautoff? Wer ist das? Welch ein Bagautoff?» Weltschaninoff blieb wie angewurzelt stehen.

«Bagautoff, Stepan Michailowitsch, der uns mit seiner Freundschaft beschenkte, genau ein Jahr nach Ihnen und — ganz ähnlich wie Sie.»

«Ach, mein Gott, ich weiß es ja!» rief Weltschaninoff, der schließlich verstanden hatte. «Bagautoff! Er war doch Beamter bei Ihnen...»

«Jawohl, jawohl! Beim Gouverneur. Aus Petersburg, ein entzückender junger Mann aus allerbester Gesellschaft!» rief in steigender Begeisterung Pawel Pawlowitsch.

«Ja, ja, ja! Wie konnte ich nur... Auch er...»

«Auch er, auch er!» wiederholte mit gleicher Begeisterung

Pawel Pawlowitsch, indem er das unvorsichtige Wörtlein seines Gastgebers aufgriff, «auch er! Und da spielten wir eben die ‹Provinzlerin› im Haustheater bei Seiner Exzellenz, dem gastfreien Semjon Semjonowitsch, — Stepan Michailowitsch spielte den ‹Grafen›, ich den ‹Gatten› und die Entschlafene die ‹Provinzlerin›, — nur nahmen sie mir dann die Rolle auf Bestehen der Verstorbenen, so daß ich den ‹Gatten› nicht spielte — angeblich aus Mangel an Begabung ...»

«Zum Teufel, was sind Sie für ein Stupendjeff! Sie sind vor allem Pawel Pawlowitsch Trussozkij und nicht Stupendjeff», gab Weltschaninoff grob und rücksichtslos und fast zitternd vor Gereiztheit von sich. «Aber erlauben Sie mal: dieser Bagautoff ist hier, in Petersburg, ich habe ihn selbst gesehen, im Frühjahr noch. Warum besuchen Sie nicht auch ihn?»

«Aber jeden lieben Tag suche ich ihn auf, schon seit drei Wochen. Man läßt mich nicht vor! Er sei krank, könne nicht empfangen. Und stellen Sie sich vor, aus sicherster Quelle habe ich erfahren, daß er allen Ernstes sehr gefährlich krank ist! Das muß man von einem Freund hören, den man sechs Jahre lang gekannt hat! Ach, Aleksej Iwanowitsch, ich sage Ihnen ja und wiederhole es, daß man in solcher Stimmung manchmal vom Erdboden verschlungen werden möchte, ja, wirklich. Und in einem anderen Augenblick glaubt man, jemanden umarmen zu müssen, und zwar eben einen von diesen früheren, diesen — wie soll ich sagen — Augenzeugen und Teilhabern, und das nur, um weinen zu können, also aus keinem anderen Grunde, als um sich ausweinen zu können!»

«Nun, aber jetzt ist es doch genug für heute, nicht wahr?» meinte Weltschaninoff schroff.

«Vollständig, vollständig genug!» sagte Pawel Pawlowitsch und erhob sich von seinem Platz. «Jetzt ist es schon vier Uhr, und ich habe Sie so selbstsüchtig gestört ...»

«Hören Sie, ich werde Sie besuchen, unbedingt, und dann hoffe ich sehr ... Sagen Sie mir offen, ohne Umschweife: Sind Sie heute nicht betrunken?»

«Betrunken? Nicht mit einem Auge...»

«Haben Sie nichts getrunken, bevor Sie kamen, oder früher?»

«Wissen Sie, Aleksej Iwanowitsch, Sie haben entschieden Fieber.»

«Ich werde Sie gleich morgen besuchen, am Vormittag, vor ein Uhr —»

«Ich merke schon längst, daß Sie fast wie im Fieberwahn sind», unterbrach ihn mit Wonne Pawel Pawlowitsch und kehrte wieder auf dieses Thema zurück. «Es ist mir wirklich peinlich, Sie durch meinen ungeschickten Besuch... aber ich gehe schon, ich gehe schon! Und Sie, Sie legen sich hin und schlafen sich tüchtig aus!»

«Warum sagen Sie mir nicht, wo Sie wohnen?» rief Weltschaninoff, da es ihm noch rechtzeitig eingefallen war, hinter ihm her.

«Habe ich es Ihnen nicht gesagt? Im Pokrowschen Gasthof.»

«Was ist das für ein Pokrowscher Gasthof?»

«Gleich neben der Kirche, hier in der Querstraße, — ich habe jetzt vergessen, wie sie heißt, auch die Hausnummer ist mir entfallen, aber ganz in der Nähe der Kirche...»

«Ich werde es schon finden!»

«Sie sollen mir willkommen sein!»

Er nahm die ersten Stufen der Treppe.

«Halt!» schrie Weltschaninoff ihm wieder nach, «werden Sie auch nicht davonrennen?»

«Wie meinen Sie das: davonrennen?» fragte Pawel Pawlowitsch, wandte sich auf der dritten Treppenstufe lächelnd um und starrte ihn mit glotzenden Augen an.

Statt einer Antwort schlug Weltschaninoff geräuschvoll die Tür zu, verschloß sie sorgsam und schob den Riegel vor. Ins Zimmer zurückgekehrt, spuckte er aus, als habe er sich besudelt. Als er etwa fünf Minuten lang unbeweglich mitten im Zimmer gestanden hatte, warf er sich, ohne sich auszukleiden, aufs Bett und schlief im Nu ein. Die vergessene Kerze auf dem Tisch brannte nieder und erlosch.

IV. DIE FRAU, DER GATTE UND DER LIEBHABER

Er schlief sehr tief und erwachte genau um halb zehn Uhr. Rasch sprang er auf, setzte sich auf den Bettrand und begann sogleich über «diese Frau» nachzudenken.

Der erschütternde Eindruck, den er bei der Nachricht von ihrem Tode gestern empfangen hatte, hinterließ in ihm eine gewisse Verwirrung und sogar einen Schmerz. Beides war gestern durch eine merkwürdige Idee, die ihm in Gegenwart von Pawel Pawlowitsch gekommen war, zeitweilig übertönt worden. Jetzt aber, beim Erwachen, erstand alles, was vor neun Jahren geschehen war, plötzlich mit ungewöhnlicher Deutlichkeit vor ihm.

Diese Frau, die verstorbene Natalja Wassiljewna, Gattin «dieses Trussozkij», hatte er geliebt und war ihr Liebhaber gewesen, als er in Geschäften (auch eines Erbschaftsprozesses wegen) sich ein ganzes Jahr lang in T. aufhielt, obschon diese Geschäfte eine so langwährende Anwesenheit gar nicht erforderten; der wahre Grund seines Verbleibens war eben jenes Verhältnis. Diese Beziehung und diese Liebe hatten dermaßen Gewalt über ihn bekommen, daß er sklavisch an Natalja Wassiljewna hing und sicher ohne Besinnen selbst etwas Ungeheures und Sinnloses zu tun bereit gewesen wäre, wenn die kleinste Laune dieser Frau es verlangt hätte. Weder vorher noch nachher war ihm je Ähnliches widerfahren. Gegen Ende des Jahres, als die Trennung schon unvermeidlich war, befand Weltschaninoff sich in derartiger Verzweiflung, je näher der schicksalhafte Zeitpunkt heranrückte — in Verzweiflung, obgleich die Trennung nur für kurze Zeit vorgesehen war —, daß er Natalja Wassiljewna vorschlug, sich von ihm entführen, dem Gatten rauben zu lassen, allem hier zu entsagen und mit ihm ins Ausland zu fliehen, für immer. Nur die spöttischen Bemerkungen und die sichere Beharrlichkeit der Dame (die dieses Projekt zu Anfang guthieß, wahrscheinlich aber mehr aus Langeweile, um sich ein wenig zu unterhalten) konnten ihm Einhalt gebieten und ihn veranlassen, allein zu reisen. Und wer hätte es geglaubt: noch waren keine zwei Monate nach der Trennung vergangen, als er sich — in Petersburg — jene Frage vorlegte, auf die er nie eine Antwort fand: hatte er diese Frau wirklich geliebt, oder war das alles nur eine «Versuchung» gewesen? Und nicht etwa aus Leichtsinn oder unter dem Einfluß einer beginnenden neuen Leidenschaft erstand in ihm eine solche Ungewißheit: während dieser zwei ersten Monate in Petersburg befand er sich in einem Zustand von Verzückung und hatte wohl kaum eine andere Frau auch nur bemerkt, obschon er sich seinem früheren Gesellschaftskreis sogleich wieder anschloß und Hunderten von Frauen begegnete. Übrigens wußte er ganz genau, daß er unweigerlich wieder dem alles verknechtenden Zauber Natalja Wassiljewnas verfallen mußte, sobald er nach T. zurückkam, ungeachtet aller aufsteigenden Fragen. Und sogar noch fünf Jahre später war er der gleichen Überzeugung. Aber fünf Jahre später gestand er sich das alles mit Empörung ein und erinnerte sich an «dieses Weib» mit Haßgefühlen. Er schämte sich des Jahres in T., konnte nicht einmal mehr die Möglichkeit einer so «dummen» Leidenschaft bei sich, Weltschaninoff, verstehen. Alle Erinnerungen an diese Zeit verwandelten sich für ihn in Schmach: er errötete bis zu Tränen und quälte sich mit Selbstvorwürfen. Allerdings gelang es ihm nach einigen weiteren Jahren, sich zu beschwichtigen; er bemühte sich, all das zu vergessen, und es war ihm auch fast gelungen. Und nun, neun Jahre danach, stand, auf die gestrige Nachricht vom Tode Natalja Wassiljewnas hin, alles ganz unvermutet und sonderbar wieder vor ihm.

Jetzt, auf seinem Bette sitzend, mit verworrenen Gedanken, die sich ordnungslos in seinem Hirn türmten, fühlte und erkannte er nur eines — daß er trotz des ganzen «erschütternden

Eindrucks», den die Nachricht auf ihn gemacht hatte, der Tatsache ihres Todes sehr gleichmütig gegenüberstand. «Werde ich sie denn nicht einmal ein wenig bedauern?» fragte er sich. Allerdings empfand er jetzt keinen Haß mehr und konnte sie vorurteilsfreier und gerechter beurteilen. Seiner Meinung nach, die sich übrigens schon lange im Laufe dieses neunjährigen Zeitabschnittes gebildet hatte, gehörte Natalja Wassiljewna ganz und gar zu den durchschnittlichen Provinzdamen aus «guter» kleinstädtischer Gesellschaft, — «wer weiß, vielleicht war es tatsächlich so, und nur ich habe aus ihr solch eine Phantasiegestalt gemacht?» Übrigens hatte er immer schon geahnt, daß diese Ansicht irrig sein konnte, auch jetzt empfand er es. Ja die Tatsachen selbst widersprachen dem. Dieser Bagautoff hatte doch ebenfalls einige Jahre in Beziehung zu ihr und, wie es scheint, auch «völlig unter ihrem Zauber» gestanden. Bagautoff gehörte der besten Petersburger Gesellschaft an, und da er ein «ganz oberflächlicher Mensch» (so sprach Weltschaninoff von ihm) war, konnte er seine Karriere nur in Petersburg machen. Jedoch er entsagte Petersburg, das heißt seiner besten Chance, und verlor ganze fünf Jahre in T. — ausschließlich dieser Frau wegen! Und nach Petersburg zurückgekehrt war er vielleicht auch nur deshalb, weil man ihn ebenfalls «wie einen alten und abgetragenen Schuh» hinausgeworfen hatte. Das hieß doch, daß an dieser Frau etwas Ungewöhnliches war — eine Gabe, zu verlocken, zu verknechten und zu beherrschen!

Und dabei schien sie gar nicht die Mittel zu haben, die zum Verlocken und Verknechten gehörten. «Sie war nicht einmal besonders hübsch, ja vielleicht überhaupt nicht hübsch.» Weltschaninoff lernte sie kennen, als sie schon achtundzwanzig Jahre zählte. Ihr durchaus nicht vollkommenes Gesicht konnte sich manchmal angenehm beleben, aber die Augen waren nicht gut: eine gewisse Härte lag in ihrem Blick. Sie war sehr mager. Ihre geistige Bildung war mangelhaft, aber ihren Verstand konnte man nicht anzweifeln, er war scharf, wenn auch fast immer einseitig. Sie hatte die Manieren einer Provinzdame, dabei allerdings sehr viel Taktgefühl, besaß einen erlesenen Geschmack, hauptsächlich in der Art, sich zu kleiden. Ihr Charakter war entschlossen und herrisch. Halbe Versöhnungen gab es bei ihr in keinem Falle. «Alles oder nichts.» In schwierigen Angelegenheiten zeigte sie bemerkenswerte Ausdauer und Standhaftigkeit. Sie hatte die Gabe der Großmut, aber gleichzeitig die der maßlosen Ungerechtigkeit. Ganz unmöglich war es, mit dieser Dame zu diskutieren; Einwände wie: zwei mal zwei ist vier, galten bei ihr nicht. Sie gab niemals und in keinem Falle zu, schuldig oder ungerecht zu sein. Ihre ständigen und zahllosen Treulosigkeiten gegen ihren Gatten beschwerten ihr Gewissen in keiner Weise. Sie war, nach einem Vergleich, den Weltschaninoff selbst anstellte, wie die «Gottesmutter der Geißlersekte», die selbst in höchstem Maße daran glaubt, wirklich die Gottesmutter zu sein, und ausnahmslos von der Richtigkeit jeder ihrer Handlungen überzeugt ist. Dem Liebhaber war sie treu, aber auch nur so lange, bis sie seiner überdrüssig wurde. Sie liebte es, ihn zu quälen, gefiel sich aber auch darin, ihn zu belohnen. Ihr Wesen war leidenschaftlich, grausam, hart und sinnlich. Sie haßte die Verderbtheit, verurteilte sie mit ungewöhnlicher Strenge und — war selbst verderbt. Keine Tatsachen konnten sie je zum Bewußtsein dieser ihrer eigenen Verderbtheit bringen. «Wahrscheinlich weiß sie *ganz aufrichtig* nichts davon», hatte Weltschaninoff über sie schon in T. gedacht (wobei er, am Rande bemerkt, selbst an ihrer Verderbtheit teilhatte). «Das ist eine jener Frauen» — dachte er weiter —, «die dazu geboren sind, untreue Gattinnen zu werden. Diese Frauen fallen nie als Mädchen. Es ist ein Gesetz ihrer Natur, dazu unbedingt verheiratet sein zu müssen. Der Gatte — das ist der erste Liebhaber, aber nur nach dem Schleier. Niemand heiratet leichter und geschickter als diese Mädchen. Für den ersten Geliebten ist der Gatte verantwortlich. Und alles geschieht in höchstem Maße aufrichtig: bis zum Ende fühlen sie sich im Recht und ganz schuldlos.»

Weltschaninoff war überzeugt, daß es tatsächlich einen solchen Frauentyp gab. Er war aber auch überzeugt, daß es den Typ des Gatten gab, der diesen Frauen entsprach und dessen einzige Bestimmung eben in dieser Entsprechung lag. Seiner Meinung nach bestand das Wesen eines solchen Gatten darin, «ewig Gatte» oder, besser gesagt, *nur* Gatte und außerdem gar nichts zu sein.

«Solch ein Mensch wird geboren und entwickelt sich, einzig um zu heiraten, um, kaum verheiratet, sich zum nebensächlichen Anhängsel seiner Frau zu verwandeln, selbst dann, wenn er einen durchaus persönlichen, unbestreitbaren Charakter haben sollte. Das Hauptmerkmal eines derartigen Gatten ist eine gewisse Verzierung. Solch ein Mann kann nicht ungehörnt durchs Leben gehen, wie die Sonne nicht dunkel werden kann. Aber er ist ahnungslos, ja er kann einem Naturgesetz zufolge auch niemals etwas von seiner wahren Lage erfahren.» Weltschaninoff glaubte fest daran, daß es diese zwei Typen gebe und daß Pawel Pawlowitsch Trussozkij ein vollkommener Vertreter des einen sei. Der gestrige Pawel Pawlowitsch war natürlich nicht der gleiche, den er in T. gekannt hatte. Er fand, er habe sich bis zur Unkenntlichkeit verändert, aber Weltschaninoff wußte auch, daß das gar nicht anders sein konnte und völlig natürlich war. Herr Trussozkij konnte das, was er früher gewesen war, nur zu Lebzeiten seiner Frau sein, jetzt aber war er der Teil eines Ganzen, der plötzlich in die Freiheit entlassen wurde, und das war etwas sehr Erstaunliches, etwas, das seinesgleichen nicht hat.

Was nun den Pawel Pawlowitsch betraf, den er in T. gekannt hatte, so war Weltschaninoff folgendes im Gedächtnis geblieben: Natürlich, in T. war Pawel Pawlowitsch nur Gatte gewesen und nichts weiter. Wenn er, zum Beispiel, darüber hinaus auch noch Beamter war, so einzig deshalb, weil für ihn der Beamtendienst zur Ehepflicht geworden war, sozusagen. Er bekleidete seine Stelle für seine Frau und ihre gesellschaftliche Position in T., obschon er an und für sich ein sehr eifriger Beamter war. Er zählte damals fünfunddreißig Jahre und verfügte über ein gewisses Vermögen, übrigens ein gar nicht so geringes. Im Dienst fiel er nicht durch besondere Talente auf, aber auch nicht durch besondere Unfähigkeit. Er verkehrte mit allem, was es an hochgestellten Personen im Gouvernement gab, und es hieß von ihm, daß er mit jedem glänzend stehe. Natalja Wassiljewna wurde in T. sehr geachtet. Aber sie schien das nicht besonders hoch zu schätzen und nahm es entgegen wie etwas, das ihr zukam. Sie verstand es vorzüglich, bei sich im Hause Gäste zu empfangen. Für diese Gelegenheiten war Pawel Pawlowitsch so von ihr gedrillt, daß er sogar beim Begrüßen höchster Potentaten aus dem Gouvernement die edelsten Umgangsformen zur Schau tragen konnte. Vielleicht (so schien es Weltschaninoff) war er sogar klug; aber da Natalja Wassiljewna es nicht liebte, wenn ihr Gatte viel sprach, konnte man seine Klugheit nicht gut bemerken. Vielleicht hatte er viele angeborene gute Eigenschaften, wie auch schlechte. Aber die guten waren wie unter einer Glocke, und die Anfechtungen der schlechten waren beinahe endgültig erstickt worden. Weltschaninoff erinnerte sich zum Beispiel, daß Herrn Trussozkij mitunter die Neigung ankam, sich über seinen Nächsten ein wenig lustig zu machen. Aber das wurde ihm strengstens verboten. Er liebte es auch, manchmal etwas zu erzählen. Aber selbst das stand unter Beobachtung: zwar war es erlaubt, zu erzählen, aber nur etwas recht Unbedeutendes und Kurzes. Er war auch geneigt, einen männlichen Freundeskreis außer Haus zu pflegen und sogar manchmal mit einem Freund einen Schluck zu trinken. Aber dieses Übel wurde mit der Wurzel ausgerissen. Und dabei war es bemerkenswert, daß ein Außenstehender nie hätte sagen können, er sei ein «Pantoffelheld». Natalja Wassiljewna schien eine vollkommen gehorsame Gattin zu sein und war möglicherweise sogar selbst davon überzeugt. Vielleicht liebte Pawel Pawlowitsch Natalja Wassiljewna bis zur Raserei, aber niemand konnte davon etwas bemerken. Wahrscheinlich war es eine der persönlichen häuslichen Anordnungen Natalja Wassiljewnas, die das verhinderte. Oft im Laufe seines Lebens in T. fragte sich Weltschaninoff: Hat dieser Gatte auch nur die leiseste Ahnung von meinem Verhältnis zu seiner Frau? Einige Male erkundigte er sich ernsthaft bei Natalja Wassiljewna danach, aber immer wurde ihm die mit einem gewissen Ärger vorgebrachte Antwort zuteil, daß ihr Mann nichts wisse, nie etwas erfahren könne und daß «alles, was da geschieht, gar nicht seine Angelegenheit» sei. Noch ein auffallender Zug Natalja Wassiljewnas: über Pawel Pawlowitsch spottete sie niemals, sie fand ihn weder lächerlich noch übel und hätte ihn jederzeit in Schutz genommen, wenn jemand so dreist gewesen wäre, sich unehrerbietig gegen ihn zu benehmen. Da sie keine Kinder hatte, mußte sie naturgemäß «Dame der Gesellschaft» werden. Aber auch ihr eigenes Heim war ihr eine Notwendigkeit. Die gesellschaftlichen Unterhaltungen beherrschten sie nie voll und ganz, und sie liebte es, Haushalt zu führen und sich mit Handarbeiten zu beschäftigen. Pawel Pawlowitsch hatte gestern ihrer gemeinsamen Leseabende in T. gedacht. Die hatte es tatsächlich gegeben. Weltschaninoff oder Pawel Pawlowitsch lasen vor. Zu Weltschaninoffs Erstaunen konnte er sogar sehr gut vorlesen. Natalja Wassiljewna stickte dabei und hörte alles immer gleichmütig und ruhig bis zu Ende an. Man las Romane von Dickens, Aufsätze aus russischen Zeitschriften und manchmal sogar etwas «Ernsteres». Natalja Wassiljewna schätzte Weltschaninoffs Bildung hoch, aber stillschweigend, wie eine einmal erkannte und endgültige Angelegenheit, über die kein weiteres Wort zu verlieren ist. Überhaupt verhielt sie sich zu Büchern und Wissenschaften höchst gleichgültig wie zu etwas vollkommen Nebensächlichem, wenn auch vielleicht Nützlichem. Pawel Pawlowitsch hingegen zeigte sich gelegentlich sogar eifrig interessiert.

Die Beziehung brach ganz plötzlich ab, gerade als sie von Weltschaninoff bis zur Spitze, ja fast bis zum Wahnsinn getrieben worden war. Er wurde unerwartet schlicht und einfach davongejagt, obschon alles sich so ergab, daß er wegfuhr, ohne auch nur im geringsten zu ahnen, bereits abgetan worden zu sein «wie ein alter, schäbig gewordener Schuh». Etwa anderthalb Monate vor seiner Abreise aus T. erschien ein blutjunger Offizier der Artillerie auf der Bildfläche, der gerade die Kadettenschule absolviert hatte, und bald nahm auch er die Gewohnheit an, bei Trussozkijs ständig zu Gast zu sein: statt ihrer drei waren sie jetzt zu viert. Natalja Wassiljewna empfing den Jüngling wohlwollend, behandelte ihn aber wie einen großen Knaben. Weltschaninoff begriff ganz und gar nichts mehr, es war ihm auch nicht darum zu tun; denn plötzlich wurde ihm die Notwendigkeit einer Trennung kundgetan. Eine der hundert Begründungen seiner unumgänglich erforderlichen sofortigen Abreise, die Natalja Wassiljewna vorbrachte, war die, daß sie in anderen Umständen zu sein glaube; darum sei es nur natürlich, daß er unbedingt sofort verschwinden müsse, wenigstens für drei oder vier Monate, damit es dem Gatten, im Falle auftauchender Verleumdungen, schwerer falle, nach neun Monaten Verdacht zu schöpfen. Dieses Argument war sehr an den Haaren herbeigezogen. Nach einem stürmischen Vorschlag seinerseits, mit ihm nach Paris oder nach Amerika zu fliehen, fuhr er allein nach Petersburg, «nur für eine Minute», das heißt nicht länger als für drei Monate, denn ohne die Aussicht der Wiederkehr wäre er um keinen Preis abgereist, allen Begründungen und Argumenten zum Trotz. Genau nach zwei Monaten erhielt er in Petersburg einen Brief von Natalja Wassiljewna, in dem sie ihn bat, nie, nie wieder zurückzukommen, da sie einen anderen liebe. Über ihre Schwangerschaft schrieb sie, daß sie sich geirrt habe. Diese Mitteilung war überflüssig, denn ihm war bereits alles klar: er dachte an den blutjungen Offizier. Damit nahm die Sache für ihn ein Ende. Später kam ihm zu Ohren, daß auch Bagautoff nur ganz zufällig für kurz nach T. gekommen und volle fünf Jahre dort geblieben war. Diese erstaunliche Dauer der Beziehung erklärte er sich unter anderem mit Natalja Wassiljewnas Älterwerden und ihrer daraus entstehenden größeren Anhänglichkeit.

Fast eine Stunde lang saß er auf seinem Bettrand. Schließlich kam er zu sich, klingelte nach Mawra, um seinen Kaffee zu bekommen, trank ihn schnell, kleidete sich an und begab sich um punkt elf Uhr zur Kirche, um dort nach dem Pokrowschen Gasthof zu fahnden. Über dieses Haus hatte er sich eine bestimmte Vorstellung gemacht, schon jetzt am Morgen. Im übrigen war es ihm etwas peinlich, Pawel Pawlowitsch gestern derart behandelt zu haben, und er fand, er müsse das jetzt wieder gutmachen.

Die ganze phantastische Episode mit dem Schloß an der Tür erklärte er sich als Zufall, als Folge der offenbaren Betrunkenheit Pawel Pawlowitschs, und — vielleicht gab es da auch noch andere Gründe. Aber eigentlich wußte er nicht genau, warum er jetzt hinging und erneut die Beziehungen mit dem ehemaligen Gatten anknüpfte, da doch alles so natürlich und ganz von selbst zwischen ihnen zu Ende gegangen war. Etwas zog ihn hin; er hatte einen besonderen Eindruck empfangen, und eben dieses Eindruckes wegen zog es ihn hin ...

V. LISA

Pawel Pawlowitsch hatte nicht daran gedacht, «davonzurennen», und Gott allein weiß, warum Weltschaninoff ihm gestern diese Frage gestellt hatte; offenbar war er selbst nicht bei klarem Verstand gewesen. Schon nach der ersten Frage in einem kleinen Laden neben der Kirche wurde ihm der Pokrowsche Gasthof gewiesen, zwei Schritte entfernt, in einer Querstraße. Dort erklärte man ihm, daß Herr Trussozkij jetzt im Seitenflügel des Gebäudes ein möbliertes Zimmer bei Marja Ssyssojewna bewohne. Als er über die schmale, feuchte und sehr schmutzige Steintreppe des Flügelgebäudes zum zweiten Stockwerk, wo sich die möblierten Zimmer befanden, hinaufstieg, vernahm er plötzlich ein Weinen. Ein Kind schien es zu sein, das schluchzte, ein Kind von etwa sieben oder acht Jahren. Es war ein krampfhaftes Weinen: als könne es nicht mehr zurückgehalten und die durchbrechenden Schluchzer nicht länger unterdrückt werden. Gleichzeitig hörte er ein Füßegetrampel und das zwar noch beherrschte, aber wütende Schelten eines erwachsenen Menschen, der mit heiserer Fistelstimme sprach. Dieser Erwachsene schien das Kind beschwichtigen zu wollen und nicht zu wünschen, daß man das Weinen draußen höre, lärmte aber mehr als das Kind. Das Schelten war erbarmungslos, und das Kind schien um Verzeihung zu flehen. Als Weltschaninoff in einen kleinen Gang trat, auf dessen beiden Seiten sich je zwei Türen befanden, begegnete er einer dicken, großgewachsenen, liederlich gekleideten Person und fragte sie nach Pawel Pawlowitsch. Sie wies mit dem Finger auf die Tür, hinter der das Weinen zu hören war. Das dicke und rot angelaufene Gesicht dieser etwa vierzigjährigen Frau verriet eine gewisse Empörung.

«Der hat wieder seinen Spaß daran!» brummte sie halblaut mit tiefer Baßstimme und ging an ihm vorbei auf die Treppe zu.

Weltschaninoff wollte erst anklopfen, überlegte es sich dann aber und öffnete ohne Umschweife die Tür zu Pawel Pawlowitschs Zimmer.

Mitten in dem nicht großen Raum, der unelegant, aber reichlich mit einfachen, angestrichenen Möbeln ausgestattet war, stand Pawel Pawlowitsch halb bekleidet, ohne Rock und Weste, gereizten, rot angelaufenen Gesichts und versuchte, mit Geschrei und Gesten und vielleicht auch (so schien es Weltschaninoff) mit Püffen ein kleines, achtjähriges Mädchen zum Schweigen zu bringen, das in einem ärmlichen, kurzen, schwarzen Wollkleidchen steckte. Es schien einen hysterischen Anfall zu haben, schluchzte stoßweise, hob die Hände zu Pawel Pawlowitsch auf, als wollte es ihn umfassen, umarmen, etwas von ihm erbitten, erflehen. Im Nu aber war alles völlig ver-

ändert: kaum hatte das Kind den Gast erblickt, als es auf-
schrie und wie ein Pfeil in das anschließende Zimmer flog;
Pawel Pawlowitschs Gesicht, das einen Augenblick lang etwas
verdutzt aussah, schmolz sogleich, genau wie gestern, zu einem
Lächeln, als Weltschaninoff so plötzlich vor ihm stand.

«Aleksej Iwanowitsch!» rief er in höchstem Erstaunen, «ich
konnte keinesfalls erwarten... Bitte, hierher, hierher! Hier
auf den Diwan oder hier, in den Sessel, und ich...»
Er konnte gar nicht schnell genug seinen Rock anziehen, wobei er die Weste ganz vergaß.

«Machen Sie keine Umstände, bleiben Sie, wie Sie sind.»
Weltschaninoff setzte sich auf einen Stuhl.

«Nein, gestatten Sie mir, daß ich doch Umstände mache, so,
jetzt bin ich etwas anständiger angezogen. Aber warum haben
Sie sich denn so in die Ecke gesetzt? Bitte, hierher, in den
Sessel, wenigstens an den Tisch... Nein, ich habe Sie nicht
erwartet, wirklich nicht erwartet!»
Auch er setzte sich, aber auf die äußerste Ecke eines gefloch-
tenen Stuhles, wobei er ihn so drehte, daß er das Gesicht
Weltschaninoff zuwenden konnte.

«Wieso haben Sie mich nicht erwartet? Ich habe Ihnen doch
gestern ausdrücklich gesagt, daß ich um diese Zeit kommen
werde.»

«Ich dachte, Sie würden nicht kommen. Und als ich mir beim
Erwachen das gestern Geschehene vergegenwärtigte, da glaubte
ich, auf immer jede Hoffnung aufgeben zu müssen, Sie wie-
derzusehen.»
Weltschaninoff hatte sich inzwischen umgeschaut. Das Zimmer
war in Unordnung, das Bett nicht gemacht, die Kleider lagen
umher, auf dem Tisch standen Gläser mit Kaffeeresten, eine
Flasche Champagner ohne Korken, die halb geleert war, und
ein Glas daneben. Brotkrumen waren über die Tischdecke ver-
streut. Er spähte mit einem Seitenblick zum Nebenzimmer hin,
aber dort war alles still; das Mädchen schien sich versteckt zu
haben und gab keinen Laut von sich.

«Trinken Sie das etwa jetzt?» fragte Weltschaninoff und wies auf den Champagner.

«Das sind Überreste...» erwiderte Pawel Pawlowitsch verlegen.

«Haben Sie sich aber verändert!»

«Ja, schlechte Gewohnheiten, und das ganz plötzlich. Wahrlich, erst seit der bewußten Zeit, ich lüge nicht! Ich kann mich nicht beherrschen! Sie brauchen aber keine Angst zu haben, Aleksej Iwanowitsch, ich bin jetzt nicht betrunken und werde keinen Unsinn verzapfen wie gestern bei Ihnen; aber ich sage Ihnen die Wahrheit, alles das erst seit der bewußten Zeit! Wenn mir jemand vor einem halben Jahr gesagt hätte, ich würde plötzlich so verfallen: selbst wenn er mir mein eigenes Bild im Spiegel gezeigt hätte — ich hätte es nicht geglaubt!»

«Also waren Sie gestern betrunken?»

«Ja», erwiderte mit halber Stimme Pawel Pawlowitsch und senkte verlegen den Blick. «Aber wissen Sie, ich war nicht etwa mitten im Rausch, sondern schon danach. Ich möchte es aus dem Grunde erwähnen, weil es bei mir nach dem Rausch viel schlimmer ist: die Rauschwirkung ist nicht mehr groß, aber irgendeine Grausamkeit, eine Gedankenlosigkeit bleibt übrig, und ich empfinde dann mein Leid stärker. Deswegen trinke ich vielleicht. Dann kann ich viel Unsinn anstellen, etwas ganz Dummes sogar, und bin meist recht ausfallend. Wahrscheinlich kam ich Ihnen gestern sehr sonderbar vor?»

«Erinnern Sie sich denn etwa nicht daran?»

«Wie sollte ich mich nicht daran erinnern, an alles erinnere ich mich...»

«Sehen Sie, Pawel Pawlowitsch, ich habe es mir genau so gedacht und auch so erklärt», sagte Weltschaninoff friedfertig. «Aber auch ich habe mich gestern zu Ihnen ein wenig gereizt verhalten und — übermäßig ungeduldig, ich gebe es gerne zu. Ich fühle mich nicht immer sehr wohl, und zudem noch Ihr plötzliches Erscheinen mitten in der Nacht...»

«Ja, in der Nacht, in der Nacht!» sagte Pawel Pawlowitsch

und schüttelte erstaunt und mißbilligend den Kopf. «Wie bin ich nur dazu gekommen?! Ich wäre um keinen Preis zu Ihnen hineingegangen; wenn Sie die Tür nicht geöffnet hätten, wäre ich wieder umgekehrt. Ich habe Sie, Aleksej Iwanowitsch, schon vor einer Woche einmal besucht und Sie nicht angetroffen, und ich wäre vielleicht nie wieder gekommen. Immerhin habe ich doch auch mein bißchen Stolz, Aleksej Iwanowitsch, obwohl ich mir bewußt bin, in welchem — Zustand ich mich befinde. Wir sind uns auch auf der Straße begegnet, und ich dachte bei mir: ‹Wenn er dich nicht erkennt, wenn er sich abwendet, neun Jahre sind ja keine Kleinigkeit›, — und konnte mich nicht entschließen, auf Sie zuzugehen. Und gestern nacht, da kam ich von der Petersburger Seite dahergeschlendert und hatte die Zeit völlig vergessen. Alles nur dadurch (er zeigte auf die Champagnerflasche) und durch den Gefühlsüberschwang! Dumm! Sehr dumm sogar! Und wären Sie nicht der Mensch, der Sie sind — denn Sie sind doch jetzt zu mir gekommen, sogar nach dem gestrigen Vorfall, eingedenk des Vergangenen —, ich hätte längst alle Hoffnung verloren, die Bekanntschaft je wieder erneuern zu können.»

Weltschaninoff hörte aufmerksam zu. Dieser Mensch schien aufrichtig zu sprechen und sogar mit einer gewissen Würde, und trotzdem glaubte er ihm, seit er sich in diesem Zimmer befand, nicht ein Wort.

«Sagen Sie, Pawel Pawlowitsch, Sie sind hier also nicht allein? Wem gehört denn dieses Mädchen, das ich eben hier sah?»

Pawel Pawlowitsch war höchst erstaunt, hob die Augenbrauen, schaute aber mit klarem und angenehmem Blick Weltschaninoff an.

«Was heißt das: wem gehört es? Das ist doch Lisa!» sagte er und lächelte freundlich.

«Was für eine Lisa?» murmelte Weltschaninoff, und etwas in ihm schien zusammenzufahren. Dieses Gefühl war zu unvermutet. Als er vorhin beim Eintreten Lisa erblickt hatte, war ihm kein besonderer Gedanke gekommen.

«Ja, unsere Lisa, unsere Tochter Lisa!» lächelte Pawel Pawlowitsch immer weiter.

«Wieso Tochter? Ja, haben Sie denn von Natalja — von der seligen Natalja Wassiljewna Kinder gehabt?» fragte Weltschaninoff mit leiser Stimme ungläubig und schüchtern.

«Aber wieso...? Ach, mein Gott, von wem hätten Sie es denn auch erfahren sollen, in der Tat! Wie kann ich nur so dumm sein! Das war schon nach Ihrer Zeit, daß wir dieses Geschenk erhielten!»

Pawel Pawlowitsch war sogar vom Stuhl aufgesprungen vor Erregung, die übrigens freundlicher Natur zu sein schien.

«Ich habe nie etwas davon gehört», sagte Weltschaninoff und erblaßte.

«Natürlich, natürlich, von wem hätten Sie es auch erfahren sollen!» wiederholte Pawel Pawlowitsch mit einer Stimme, die vor Rührung ganz schwach war. «Wir hatten, die Verstorbene und ich, doch schon jede Hoffnung verloren, erinnern Sie sich? Und plötzlich segnet uns der Herr... Und was das für mich bedeutete — das ist nur Ihm allein bekannt! Genau ein Jahr, glaube ich, nachdem Sie fort waren. Oder nein, nicht nach einem Jahr, längst nicht, warten Sie: Sie sind doch damals von uns im Oktober oder im November weggefahren, wenn mein Gedächtnis mich nicht trügt?»

«Ich verließ T. Anfang September, am zwölften September, ich erinnere mich noch gut...»

«Tatsächlich im September? Hm...! Aber wieso?» fragte sich Pawel Pawlowitsch erstaunt. «Nun, wenn es so ist, dann — erlauben Sie mal: Sie verließen uns am zwölften September, Lisa ist am achten Mai geboren, das sind also... September/Oktober/November/Dezember/Januar/Februar/März/April ... nach acht Monaten und etwas, ja! Und wenn Sie wüßten, wie die Verstorbene —»

«Zeigen Sie sie mir doch... rufen Sie sie doch...» stieß Weltschaninoff mit sonderbar stockender Stimme hervor.

«Unbedingt!» Pawel Pawlowitsch geriet in Bewegung und

unterbrach sogleich das, was er sagen wollte, als etwas vollkommen Unnötiges. «Sofort, sofort werde ich sie Ihnen vorstellen!»

Und er begab sich eilig in das andere Zimmer zu Lisa.

Volle drei oder vier Minuten vergingen. Nebenan wurde eifrig und schnell geflüstert, und man konnte nur ganz leise Laute von Lisas Stimme vernehmen. «Sie bittet, nicht hinausgeführt zu werden» dachte Weltschaninoff. Schließlich traten sie ein ...

«Hier ist sie. Sie ist immer verlegen», sagte Pawel Pawlowitsch, «sie ist so schüchtern und so stolz — ganz die Mutter.» Lisa kam, ohne zu weinen. Die Augen hielt sie gesenkt. Der Vater führte sie an der Hand. Sie war ein hochgewachsenes, mageres und sehr hübsches Mädchen. Schnell richtete sie ihre großen blauen Augen auf den Gast. Sie betrachteten ihn neugierig, aber düster und senkten sich gleich wieder. Jener rührende Ernst lag in ihnen, den Kinder haben, wenn sie, allein mit einem Unbekannten, sich in eine Ecke zurückziehen und von dort gewichtig und mißtrauisch den neuen, noch nie gesehenen Gast verstohlenen Blicks mustern. Vielleicht bargen sie aber auch andere, schon nicht mehr kindliche Gedanken — so schien es Weltschaninoff. Der Vater führte sie ganz dicht an ihn heran:

«Hier, dieser Onkel hat Mama früher gekannt, er war unser Freund, stell dich nicht so an, gib ihm die Hand.»

Das Mädchen verneigte sich leicht und streckte ihm schüchtern die Hand hin.

«Natalja Wassiljewna wollte nicht, daß sie einen Knix macht, sondern lehrte sie auf englische Art zu grüßen, indem sie sich leicht verbeugt und dem Gast die Hand gibt», erklärte er, zu Weltschaninoff gewandt, und beobachtete ihn dabei genau.

Weltschaninoff wußte, daß er beobachtet wurde, gab sich aber gar keine Mühe, seine Erregung zu verbergen. Er saß, ohne sich zu rühren, auf seinem Stuhl, hielt Lisas Hand in der seinen und schaute das Kind eindringlich an. Aber Lisa war um etwas anderes sehr besorgt, und ihre Hand in der des Gastes vergessend, wandte sie keinen Blick vom Vater. Angsterfüllt hörte sie auf alles, was er sagte. Weltschaninoff erkannte sofort diese großen blauen Augen, aber am meisten erschütterten ihn der erstaunlich zarte, wunderbare Teint ihrer Züge und die Farbe der Haare: diese Merkmale waren nur zu bedeutungsvoll für ihn. Das Oval des Gesichtes und der Schwung der Lippen erinnerten dagegen unzweideutig an Natalja Wassiljewna. Pawel Pawlowitsch hatte inzwischen schon längst angefangen, etwas zu erzählen, und, wie es schien, mit außerordentlichem Eifer und Gefühlsaufwand, aber Weltschaninoff hörte nichts. Er erhaschte nur noch den letzten Satz:

«... so daß Sie sich unsere Freude über dieses Geschenk Gottes gar nicht vorstellen können, Aleksej Iwanowitsch! Für mich bedeutet sie seit ihrer Geburt alles. Und wenn nach Gottes Ratschluß mein stilles Glück auch aufhören sollte — so dachte ich manchmal —, so bleibt mir doch immer noch Lisa. Das wenigstens wußte ich ganz sicher!»

«Und Natalja Wassiljewna?»

«Natalja Wassiljewna?» Pawel Pawlowitsch machte ein etwas betretenes Gesicht. «Sie kannten sie doch, Sie erinnern sich doch, daß sie es nicht liebte, allzu viel zur Schau zu tragen, dafür aber, als sie von ihr Abschied nahm auf dem Sterbebett — da kam dann eben alles zum Vorschein! Ich habe Ihnen eben gesagt: ‹auf dem Sterbebett›, dabei hat sie sich noch einen Tag vor ihrem Ende plötzlich sehr aufgeregt, hat behauptet, man wolle sie mit Arzneien zu Tode kurieren. Sie glaubte, sie habe nur ein ganz gewöhnliches Fieber, unsere beiden Ärzte verstünden nichts und sie werde, sobald Koch (Sie erinnern sich, unser Hausarzt, das alte Männchen) zurück sei, in zwei Wochen vom Krankenbett aufstehen. Ja, und noch fünf Stunden vor ihrem Hinscheiden dachte sie daran, daß man zwei Wochen später die Tante besuchen müsse, die Patin von Lisa, weil sie Namenstag habe ...»

Weltschaninoff erhob sich plötzlich vom Stuhl, immer noch Lisas Hand in der seinen. Ihm schien in dem glühenden Blick des Mädchens, der auf den Vater gerichtet war, etwas Vorwurfsvolles zu liegen.

«Ist sie auch nicht krank?» fragte er etwas sonderbar und eilig.

«Anscheinend nicht, aber . . . die Umstände, in denen wir hier leben, haben es mit sich gebracht», sagte Pawel Pawlowitsch mit kummervoller Besorgtheit, «daß sie sonderbar ist und sehr nervös. Nach dem Tode der Mutter war sie zwei Wochen lang krank, zudem ist sie hysterisch. Sie haben ja selbst gesehen, als Sie vorhin hereinkamen, was wir da für eine Szene hatten, — hörst du, Lisa, hörst du? — Und weswegen? Alles nur deshalb, weil ich fortgehe und sie allein lasse, und das heiße, meint sie, daß ich sie schon nicht mehr so liebe, wie ich sie zu Lebzeiten der Mama geliebt habe, — dessen beschuldigt sie mich. Wie kommt solch ein Einfall in den Kopf eines Kindes, das noch mit Puppen spielen sollte? Aber das ist es eben, sie hat hier keinen Menschen, mit dem sie spielen könnte.»

«Ja, wie — sind Sie hier denn nur zu zweit?»

«Ganz einsam, lediglich die Magd kommt mitunter, aber nur einmal am Tag.»

«Und wenn Sie fortgehen, lassen Sie sie dann allein?»

«Ja, was denn sonst? Und gestern, als ich fortging, habe ich sie sogar eingeschlossen, im anderen Zimmer, deshalb hat es auch Tränen gegeben heute. Aber was soll ich machen, urteilen Sie selbst: vorgestern ist sie ohne mich hinuntergegangen, und da hat ein Bube ihr einen Stein an den Kopf geworfen. Ein anderes Mal bricht sie in Tränen aus und bestürmt jeden im Hof mit Fragen, wohin ich gegangen sei! Das ist doch nicht gut. Aber auch ich bin im Unrecht: gehe für eine Stunde fort und komme am anderen Tage gegen Morgen wieder; so geschah es auch gestern. Nur gut, daß die Wirtin ihr aufmachte, sie mußte den Schlosser holen, um die Tür zu öffnen, — wirklich eine Schande, ich komme mir selbst wie ein Ungeheuer vor ... Kommt alles von der Umnachtung alles von der Umnachtung! ...»

«Papachen!» sagte da voller Unruhe und sehr schüchtern das Mädchen.

«Nun, schon wieder — fängst du wieder von vorne an! Was habe ich dir vorhin gesagt?»

«Ich will nie wieder, ich will nie wieder», wiederholte Lisa und faltete eilig und schreckerfüllt die Hände vor ihm.

«So kann es bei Ihnen nicht weitergehen.» Weltschaninoff ergriff plötzlich mit der Stimme eines Machthabers und voller Ungeduld das Wort. «Sie sind doch ... Sie sind doch ein Mann mit Vermögen, wieso leben Sie denn in diesem Seitenflügel und in solchen Verhältnissen?»

«In diesem Flügel? Aber vielleicht verreisen wir schon in einer Woche, und wir haben ohnehin schon viel zu viel Geld ausgegeben, wenn ich auch Vermögen besitze ...»

«Nun, genug, genug», unterbrach ihn Weltschaninoff mit immer größerer Ungeduld, als wollte er sagen: «Was sollen wir da lange reden, ich weiß alles, was du einwenden willst!» — «Hören Sie, ich mache Ihnen einen Vorschlag: Sie sagten eben, Sie blieben noch eine Woche in Petersburg, womöglich auch noch zwei. Ich kenne hier ein Haus, das heißt eine Familie, in der man mich wie einen nahen Verwandten aufnimmt — schon seit zwanzig Jahren. Das ist die Familie Pogorjelzeff. Alexander Pawlowitsch Pogorjelzeff ist Geheimrat, er kann Ihnen am Ende noch nützlich sein in Ihrer Angelegenheit. Sie sind jetzt auf dem Lande. Sie besitzen ein eigenes, sehr reich eingerichtetes Landhaus. Claudia Petrowna Pogorjelzewa ist wie eine Schwester zu mir, wie eine Mutter. Sie haben acht Kinder. Erlauben Sie, daß ich Lisa gleich zu ihnen bringe ... Ich sage das, um keine Zeit zu verlieren. Sie werden sie mit Freuden aufnehmen für diese kurze Zeit, sie werden sie liebhaben, als sei sie ihre eigene Tochter, wirklich ihre eigene Tochter!»

Er war furchtbar ungeduldig und machte kein Hehl daraus.

«Das erscheint mir doch ganz unmöglich», erwiderte Pawel Pawlowitsch mit unnatürlicher Gebärde und — wie es Weltschaninoff vorkam — einem hinterlistigen Blick.

«Warum? Warum unmöglich?»

«Ja, wie soll ich denn ... wie soll ich das Kind so einfach fortlassen, und so plötzlich — wenn auch mit einem so aufrichtig wohlgesinnten Freund, wie Sie es sind. Ich spreche nicht davon, aber es ist immerhin ein fremdes Haus und ein Haus der höheren Gesellschaft, und ich weiß ja auch noch nicht, wie man es dort auffassen wird.»

«Ich habe Ihnen doch gesagt, daß ich dort wie zu Hause bin!» schrie Weltschaninoff ihn fast wütend an, «Claudia Petrowna wird sich glücklich schätzen, wenn ich nur ein Wort sage. Als wäre es meine Tochter ... Zum Teufel, Sie wissen doch selbst sehr gut, daß Sie nur daherreden, um zu schwatzen ... Warum sollen wir denn so viele Worte darüber verlieren!»

Er stampfte sogar mit dem Fuß auf.

«Ich meine ja nur, ob es nicht sehr sonderbar sein wird? Immerhin muß ich sie ein- oder zweimal dort besuchen, denn sonst ... wie sieht denn das aus, so ganz ohne Vater? He-he — und in einem so vornehmen Haus!»

«Aber es ist ja ein ganz schlichtes Haus und gar kein ‹vornehmes›!» schrie Weltschaninoff. «Ich sage Ihnen ja, dort gibt es viele Kinder. Sie wird dort wieder aufleben, schon allein deswegen ... Und Sie werde ich gleich morgen dort einführen, wenn Sie wollen. Ja Sie müssen sogar unbedingt hinfahren, schon um sich zu bedanken. Wir werden jeden Tag hinausfahren, wenn Sie wollen ...»

»Das ist alles irgendwie —»

«Unsinn! Und das wichtigste ist, Sie selbst wissen, daß es Unsinn ist! Hören Sie, kommen Sie heute abend zu mir und übernachten Sie meinetwegen bei mir, und am Morgen wollen wir etwas früher fortfahren, um gegen zwölf Uhr dort zu sein.»

«Mein Wohltäter, der Sie sind! Auch noch übernachten soll ich bei Ihnen ...» rief Pawel Pawlowitsch voller Rührung und erklärte sich plötzlich mit allem einverstanden. «Sie erweisen mir wirklich eine wahre Wohltat ... Wo befindet sich denn das Landhaus dieser Herrschaften?»

«In Ljessnoje.»

«Aber wie sollen wir es mit ihrem Kleid machen? Denn in ein so vornehmes Haus, dazu noch zum Ferienaufenthalt, Sie wissen ja selbst ... das Vaterherz!»

«Was ist denn mit dem Kleid? Sie ist in Trauer. Kann sie denn ein anderes Kleid tragen? Das richtigste, was man sich vorstellen kann! Nur vielleicht etwas reinere Wäsche und ein frisches Kopftuch.»

Das Kopftuch und die hervorschauende Unterwäsche waren tatsächlich recht schmutzig.

«Sofort und unbedingt umziehen», ereiferte sich Pawel Pawlowitsch, «und die übrige Wäsche, die sie nötig hat, werden wir auch gleich einpacken, — sie ist noch bei Marja Ssyssojewna zum Waschen.»

«Man sollte sogleich eine Droschke besorgen», unterbrach Weltschaninoff, «und schnell, wenn möglich.»

Aber da entstand ein anderes Hindernis: Lisa widersetzte sich dem Plan mit aller Entschiedenheit. Die ganze Zeit über hatte sie voller Schrecken zugehört, und wenn Weltschaninoff Zeit gefunden hätte, sie anzuschauen, während er Pawel Pawlowitsch überredete, so wäre er in ihrem Gesichtchen dem Ausdruck völliger Verzweiflung begegnet.

«Ich werde nicht fahren», sagte sie leise und entschlossen.

«Nun, da sehen Sie, ganz die Mama!»

«Ich bin nicht wie Mama, ich bin nicht wie Mama!» stieß Lisa schreiend hervor, indem sie in Verzweiflung die kleinen Hände rang, als wollte sie sich vor dem Vater wegen dieses schrecklichen Vorwurfs rechtfertigen. «Papachen, Papachen, wenn Sie mich verlassen ...»

Sie stürzte plötzlich auf den ganz erschrockenen Weltschaninoff zu:

«Wenn Sie mich fortnehmen, werde ich —»

Aber sie konnte nichts mehr sagen: Pawel Pawlowitsch ergriff sie am Arm, fast am Kleiderkragen und zerrte sie mit unverhohlener Wut ins kleine Zimmer. Dort wurde wieder einige Minuten lang geflüstert. Man hörte ersticktes Schluchzen. Weltschaninoff wollte sich schon ins Nebenzimmer begeben, als Pawel Pawlowitsch heraustrat und mit verzerrtem Lächeln erklärte, sie werde sogleich kommen. Weltschaninoff gab sich Mühe, ihn nicht anzusehen, und schaute zur Seite.

Nun erschien auch Marja Ssyssojewna, das gleiche Weib, dem er vorhin auf dem Gang begegnet war, und packte die mitgebrachte Wäsche in einen hübschen, kleinen Koffer, der Lisa gehörte.

«Werden Sie etwa das Mädchen mitnehmen, Väterchen?» wandte sie sich an Weltschaninoff. «Haben Sie Familie? Da tun Sie gut daran, das Kind ist sanft und gehorsam, Sie befreien es aus einem Sodom.»

«Wie wäre es, Marja Ssyssojewna, wenn . . .» murmelte Pawel Pawlowitsch vor sich hin.

«Na was! Ist das etwa kein Sodom hier bei dir? Ist es denn zulässig, daß ein verständiges Kind solche Schmach mit ansehen muß? Die Droschke hat man geholt, Väterchen, — bis Ljessnoje, nicht wahr?»

«Ja, ja.»

«Nun denn — mit Gott!»

Lisa kam heraus und nahm das Köfferchen. Sie war blaß und hielt die Augen gesenkt. Mit keinem Blick schaute sie auf die Seite Weltschaninoffs.

Sie beherrschte sich und warf sich nicht, wie vorhin, dem Vater an den Hals, nicht einmal beim Abschied. Offenbar wollte sie ihn gar nicht ansehen. Pawel Pawlowitsch streichelte ihr den Kopf und gab ihr pflichtgemäß einen Kuß auf die Stirn. Dabei zuckten ihre Mundwinkel, und das Kinn bebte, aber sie hob den Blick nicht zum Vater. Pawel Pawlowitsch schien blaß zu sein, und seine Hände zitterten, — das bemerkte Weltschaninoff ganz deutlich, obschon er sich die größte Mühe gab, ihn nicht anzuschauen. Er wollte nur eines — schnell, schnell fortfahren.

«Ach was, bin ich etwa daran schuld?» dachte er, «es mußte so kommen.»

Man ging hinunter. Marja Ssyssojewna küßte das Mädchen zum Abschied. Erst als sie in der Droschke saß, hob Lisa den Blick zum Vater, und — plötzlich schlug sie die Hände zusammen und schrie auf. Noch einen Augenblick, und sie wäre aus dem Wagen gesprungen und zu ihm hingestürzt, aber schon zogen die Pferde an.

VI. NEUER EINFALL EINES MÜSSIGEN MENSCHEN

«Ist Ihnen etwa schlecht?» fragte Weltschaninoff erschreckt. «Ich werde sofort befehlen anzuhalten, ich lasse Ihnen Wasser bringen . . .»

Sie schlug die Augen zu ihm auf und blickte ihn mit glühendem Vorwurf an.

«Wohin führen Sie mich?» fragte sie schroff und abgerissen.

«Es ist ein herrliches Haus, Lisa. Dort sind viele Kinder, man wird Sie lieben, die Leute sind gut . . . Seien Sie mir nicht böse, Lisa, ich wünsche nur Ihr Bestes . . .»

Wären seine alten Bekannten jetzt dabei gewesen, sie hätten einen sonderbaren Eindruck von ihm bekommen.

«Wie konnten Sie . . . wie konnten Sie . . . wie konnten Sie . . . Oh, wie böse Sie sind!» sagte Lisa, mußte vor lauter zurückgehaltenen Tränen nach Luft schnappen und funkelte ihn aus ihren wunderschönen Augen wütend an.

«Lisa, ich —»

«Sie sind böse, böse, böse!»

Sie rang die Hände. Weltschaninoff war ganz ratlos.

«Lisa, meine Liebe, wenn Sie wüßten, in welche Verzweiflung Sie mich stürzen!»

«Ist es wahr, daß er morgen kommen wird? Ist es wahr?» fragte sie herrisch.

«Es ist wahr, es ist wahr! Ich werde ihn selbst mitbringen, ich werde ihn holen und mitbringen.»

«Er wird nicht Wort halten», murmelte Lisa und senkte den Blick zu Boden.

«Liebt er Sie denn nicht, Lisa?»

«Nein, er liebt mich nicht.»

«Hat er Sie gekränkt? Hat er?»

Lisa schaute ihn finster an und schwieg. Sie hatte sich wieder von ihm abgewandt und saß mit hartnäckig gesenkten Blicken da. Er begann sie zu trösten, sprach mit großer Glut und war selbst wie im Fieber. Lisa hörte mißtrauisch und feindlich zu, aber sie hörte zu. Ihre Aufmerksamkeit freute ihn außerordentlich. Er begann sogar, ihr zu erklären, was das ist: ein Trinker. Er sagte ihr, daß er sie liebhabe und daß er auf den Vater achtgeben werde. Lisa hob endlich den Blick und schaute ihn scharf an. Er erzählte ihr dann, daß er ihre Mutter gekannt habe, und es gelang ihm, sie mit seinen Mitteilungen zu fesseln. Nach und nach gab sie auf Fragen Antwort, aber sehr vorsichtig und einsilbig und nicht ohne ein gewisses Widerstreben. Auf die wichtigste Frage aber antwortete sie nicht: sie schwieg hartnäckig über alles, was ihre Beziehung zum Vater betraf. Während er mit ihr sprach, nahm Weltschaninoff wie vorhin ihre Hand in die seine und hielt sie fest. Sie entzog sie ihm nicht. Übrigens verschwieg sie nicht alles. Ihren unklaren Worten war zu entnehmen, daß sie Papa mehr liebe als Mama, weil er sie früher mehr geliebt habe als Mama, daß Mama sie aber sehr geherzt und geküßt habe, als sie im Sterben lag und alle aus dem Zimmer gegangen und sie zu zweit geblieben waren ... und daß sie sie jetzt mehr als alle auf der Welt liebe, mehr als alle, und jede Nacht immer noch mehr liebe. Aber sie war tatsächlich sehr stolz: als sie plötzlich bemerkte, daß sie zu viel gesagt hatte, zog sie sich wieder ganz in sich selbst zurück und verstummte.

Sie warf Weltschaninoff, der ihr das Geheimnis entrissen hatte, sogar einen haßerfüllten Blick zu. Gegen Ende der Fahrt war ihr hysterischer Zustand jedoch beinahe wieder vergangen, aber sie wurde tief nachdenklich und schaute finster drein wie eine Wilde, voll von düsterer, trotziger Voreingenommenheit. Daß man sie in ein ihr unbekanntes Haus führen wollte, in dem sie noch nie gewesen war, schien sie einstweilen wenig zu stören. Etwas anderes quälte sie, das sah Weltschaninoff. Er ahnte, daß sie sich für *ihn*, ihren Vater, schämte, daß sie sich schämte, weil er sie so leicht hatte ziehen lassen, weil er sie Weltschaninoff fast zugeschoben hatte.

«Sie ist krank», dachte er, «vielleicht sogar sehr krank. Sie ist abgequält... Oh, dieser besoffene, niedrige Kerl! Jetzt durchschaue ich ihn!»

Er trieb den Kutscher zur Eile an und setzte alle Hoffnung auf das Sommerhaus, die Luft, den Garten, die Kinder, die neue, ihr unbekannte Lebensweise, — und dann, nachher...

Über das, was dann kommen sollte, hatte er nicht den geringsten Zweifel, im «Später» lagen seine großen, leuchtenden Hoffnungen. Und eines wußte er ganz genau: daß er noch nie empfunden hatte, was er jetzt empfand, und daß dieses Gefühl ihm fürs Leben bleiben werde.

«Das ist ein Ziel, das ist Leben!» dachte er voller Entzücken.

Viele Gedanken schwirrten ihm durch den Kopf, aber er verweilte bei keinem und vermied es konsequent, sich bei Einzelheiten aufzuhalten. Ohne Einzelheiten war alles klar, alles unerschütterlich. Sein Hauptplan entstand ganz von selbst:

«Man wird auf diesen niederträchtigen Kerl einwirken können», träumte er, «mit vereinten Kräften, und er wird Lisa in Petersburg bei Pogorjelzeffs lassen, erst nur für kurze Zeit, vorübergehend, und wird allein abreisen. Lisa bleibt dann bei mir, das ist alles, und mehr wünsche ich auch nicht. Und... und selbstredend wünscht er es selbst, denn weshalb sonst quält er sie so?»

Endlich waren sie angelangt. Das Landhaus, das Pogorjelzeffs

bewohnten, war wirklich entzückend gelegen. Zuerst wurden
sie von einer lärmenden Kinderschar empfangen, die zur Ein-
fahrt herausstürmte. Weltschaninoff war schon lange nicht
mehr dagewesen, und die Freude der Kinder war unbändig:
man liebte ihn. Der Älteste rief ihm, noch ehe er aus der
Droschke gestiegen war, eilig zu:
«Und Ihr Prozeß, was macht Ihr Prozeß?»
Auch die Kleinsten fingen diese Frage auf und wiederholten
sie mit ihren hohen, piepsenden Stimmchen. Er wurde hier
dauernd mit seinem Prozeß geneckt.
Kaum hatten die Kinder Lisa erblickt, als sie sie schon um-
ringten und mit schweigsamer und gespannter kindlicher Neugier betrachteten. Nun kam Claudia Petrowna heraus, und
hinter ihr erschien ihr Gatte. Auch diese beiden begannen
damit, daß sie Weltschaninoff lachend nach seinem Prozeß
fragten.
Claudia Petrowna war eine Dame von etwa fünfunddreißig
Jahren, vollschlank, eine noch hübsche Brünette, mit frischem,
rosigem Gesicht. Ihr Gatte, ein kluger und schlauer Mann von
etwa fünfundfünfzig Jahren, war vor allem ein gutherziger
Mensch. Ihr Haus stand für Weltschaninoff im wahrsten Sinne
des Wortes «jederzeit offen», wie er sich selbst ausdrückte.
Dahinter verbarg sich aber noch ein besonderer Umstand:
Vor etwa zwanzig Jahren hätte diese Claudia Petrowna unseren Weltschaninoff, der damals noch fast ein Knabe, ein Student war, beinahe geheiratet. Er war ihre erste, leidenschaftliche, lächerliche und herrliche Liebe gewesen. Das Ende aber
war, daß sie Pogorjelzeff nahm. Fünf Jahre danach begegneten
sie einander wieder und schlossen eine aufrichtige und stille
Freundschaft. Eine gewisse Wärme haftete auf immer ihrer Beziehung an, ein besonderes Licht, das diese Zuneigung erleuchtete. Hier war alles rein und makellos in Weltschaninoffs Erinnerungen und vielleicht deshalb um so wertvoller, weil es
nur hier der Fall war. In diesem Familienkreis gab er sich
schlicht, naiv und gutherzig, unterhielt sich mit den Kindern,

verstellte sich nie und gestand und beichtete alles. Mehr als einmal hatte er Pogorjelzeff geschworen, daß er nur noch kurze Zeit sein gesellschaftliches Leben fortsetzen wolle, um dann, ohne je wieder fortzugehen, ganz zu ihnen überzusiedeln und bei ihnen zu leben. In Gedanken nahm er diese Absicht durchaus ernst.

Er erzählte ihnen ziemlich ausführlich das über Lisa, was sie wissen mußten. Aber allein seine Bitte hätte schon genügt, ohne irgendwelche besondere Erklärung. Claudia Petrowna küßte die «kleine Waise» und versprach, ihrerseits alles zu tun, was sie könne. Die Kinder faßten Lisa bei der Hand und zogen sie mit in den Garten zu ihren Spielen. Nach einer halben Stunde lebhafter Unterhaltung stand Weltschaninoff auf, um Abschied zu nehmen. Er war in einer Weise ungeduldig, daß es allen auffiel. Sie staunten: drei Wochen habe er sich nicht sehen lassen und jetzt gehe er nach einer halben Stunde wieder fort. Er lachte und schwor, morgen wiederzukommen. Man fragte ihn, warum er so erregt sei. Plötzlich nahm er Claudia Petrowna bei der Hand und führte sie, unter dem Vorwand, ihr etwas Wichtiges, das er vergessen habe, sagen zu müssen, ins Nebenzimmer.

«Erinnern Sie sich, was ich Ihnen — Ihnen allein, sogar Ihr Mann weiß nichts davon — von dem Jahr erzählte, das ich in T. verbrachte?»

«Ich erinnere mich nur zu gut, Sie haben oft genug davon gesprochen.»

«Ich sprach nicht davon, ich beichtete, und nur Ihnen allein! Ich habe nie den Familiennamen dieser Frau genannt: sie hieß Trussozkaja und war die Frau dieses Trussozkij. Sie ist es, die gestorben ist, und Lisa, ihre Tochter, ist — meine Tochter!»

«Ist das auch sicher? Irren Sie sich auch nicht?» fragte Claudia Petrowna erregt.

«Ganz sicher, ich irre mich bestimmt nicht!» sagte Weltschaninoff im Tonfall höchster Exaltation.

64

Und er erzählte, so kurz er vermochte, entsetzlich eilig und aufgeregt — alles. Claudia Petrowna kannte dieses «alles» schon von früher, aber den Namen der Dame erfuhr sie erst jetzt. Weltschaninoff war früher allein beim Gedanken zusammengefahren, jemand von seinen Bekannten könnte irgendwann einmal Madame Trussozkaja begegnen und sich fragen, wieso *er* sie *so* habe lieben können, so daß er nicht gewagt hätte, selbst vor Claudia Petrowna, dem einzigen Menschen, mit dem er wahrhaft befreundet war, den Namen «jener Frau» auszusprechen.

«Und der Mann weiß nichts davon?» fragte sie, nachdem sie sich die Erzählung angehört hatte.

«N-nein, er weiß... das eben quält mich, daß ich hier noch nicht ganz klar sehe!» fuhr Weltschaninoff glühend beteiligt fort. «Er weiß, er weiß; ich habe es heute und auch gestern schon bemerkt. Aber ich muß eben erfahren, wieviel er weiß. Darum bin ich jetzt auch so in Eile. Heute abend kommt er zu mir. Ich frage mich übrigens, woher er es wissen kann — das heißt *alles* wissen kann. Von Bagautoff weiß er alles, darüber besteht kein Zweifel. Aber von mir? Sie ahnen, wie Frauen ihre Männer, wenn nötig, in gutem Glauben zu halten verstehen! Und stiege ein Engel vom Himmel zu ihm hernieder — der Mann würde nicht ihm Glauben schenken, wohl aber ihr! Schütteln Sie nicht den Kopf und verurteilen Sie mich nicht, ich verurteile mich selbst und habe mich in allem schon längst, längst verurteilt!... Sehen Sie, vorhin war ich derart überzeugt davon, er wisse alles, daß ich mich selbst vor ihm bloßstellte. Sie werden es nicht glauben, aber es beschämt und bedrückt mich, daß ich ihn gestern so grob empfangen habe (ich will Ihnen später einmal alles noch ausführlicher erzählen). Er ist ja gestern aus dem unbesiegbaren, boshaften Verlangen zu mir gekommen, mich wissen zu lassen, daß er die ihm angetane Kränkung kennt und auch weiß, wer sie ihm zugefügt hat! Das ist der ganze Grund gewesen, so lächerlich und betrunken bei mir zu erscheinen. Aber von seiner Seite aus gesehen, ist das ganz verständlich. Sein Kommen sollte ein Vorwurf sein! Ich habe mich viel zu sehr hinreißen lassen, sowohl gestern als auch vorhin. Unvorsichtig und dumm! Hab' mich selbst verraten! Warum ist er auch in einem Augenblick gekommen, da ich so zerfahren war? Ich sage Ihnen, er hat sogar Lisa gequält, das Kind gequält, und wahrscheinlich auch nur, um einen Vorwurf auszudrücken, um seine Wut los zu werden! Ja, er ist erbost, — so nichtig und unbedeutend er auch ist, aber er ist erbost, und sogar sehr! Selbstredend ist er nichts als ein Narr, obschon er früher das Aussehen eines anständigen Menschen gehabt hat, bei Gott — natürlich nur soweit dies möglich ist... Aber wissen Sie, es ist so natürlich, daß er jetzt über die Stränge schlägt. In solch einem Fall, meine liebe Freundin, muß man die Sache vom christlichen Standpunkt aus betrachten. Und wissen Sie, meine Liebe, meine Gute — ich will mein Verhalten ihm gegenüber ganz ändern: ich will freundlich sein zu ihm, das wird meinerseits sogar eine ‹gute Tat› sein. Denn immerhin bin ich doch vor ihm in großer Schuld! Wissen Sie, was ich Ihnen noch erzählen will? Einmal in T. benötigte ich plötzlich viertausend Rubel, und er händigte sie mir im gleichen Augenblick aus, ohne jegliches Schriftstück, mit aufrichtiger Freude, daß er mir dienlich sein konnte, und ich habe sie genommen damals, aus seinen Händen habe ich sie angenommen, hören Sie? Angenommen, wie von einem Freund!»

«Seien Sie nur vorsichtiger», erwiderte auf all das Claudia Petrowna beunruhigt. «Und wie überschwenglich Sie sind, ich habe wirklich Angst um Sie! Selbstverständlich ist Lisa jetzt meine Tochter, aber da bleibt noch so vieles, so vieles ungeklärt. Das wichtigste ist jetzt: seien Sie umsichtiger! Sie müssen unbedingt umsichtiger sein, wenn Sie sich in solch einem glückhaften Zustand befinden oder in einem überschwenglichen. Sie sind zu großmütig, wenn Sie glücklich sind», fügte sie mit einem Lächeln hinzu.

Alle kamen, um Weltschaninoff das Geleit zu geben. Ein paar

Kinder holten Lisa herbei, die mit einigen anderen im Garten spielte. Sie schauten sie jetzt, so schien es, mit noch größerer Verwunderung an als vorhin. Lisa wurde vollends scheu, als Weltschaninoff sie zum Abschied vor allen Leuten küßte und voller Eifer das Versprechen wiederholte, morgen mit dem Vater wiederzukommen. Bis zur letzten Minute schwieg sie und schaute ihn nicht an, dann aber packte sie ihn plötzlich am Ärmel, zog ihn zur Seite und richtete einen flehenden Blick auf ihn. Sichtlich wollte sie ihm etwas sagen. Er führte sie sofort ins Nebenzimmer.

«Was ist los, Lisa, was?» fragte er zärtlich und aufmunternd, sie aber zog ihn, immer noch ängstlich umschauend, weiter in eine Ecke: sie wollte sich vor allen verstecken.

«Was ist denn, Lisa, was ist denn?»

Sie schwieg und konnte sich nicht entschließen. Regungslos starrte sie mit blauen Augen in die seinen, und aus jedem Zug ihres Gesichtchens sprach besinnungslose Angst.

«Er ... wird sich erhängen!» flüsterte sie plötzlich wie im Fieber.

«Wer wird sich erhängen?» fragte Weltschaninoff erschrocken.

«Er, er! Er wollte sich in der Nacht mit einer Schlinge erhängen!» sprach das Kind eilig und nach Luft ringend, «ich habe es selbst gesehen! Er wollte sich neulich in einer Schlinge erhängen, er hat es mir gesagt, hat es mir gesagt! Schon früher hat er es tun wollen, schon immer ... Ich sah es in der Nacht!»

«Das kann nicht sein!» murmelte Weltschaninoff höchst betroffen.

Sie fing plötzlich an, seine Hände zu küssen, sie weinte und vermochte vor Schluchzen kaum Atem zu holen, sie bat und flehte, er aber konnte aus ihrem hysterischen Lallen nichts verstehen. Und für immer blieb in seinem Gedächtnis dieser leidvolle Blick eines zerquälten Kindes haften, der in irrem Schrecken und mit letzter Hoffnung auf ihn gerichtet war. Er verfolgte ihn tagsüber und erschien ihm nachts im Traum.

«Liebt sie ihn denn wirklich so sehr», dachte er voller Eifersucht und Neid, während er fiebernd vor Ungeduld in die Stadt zurückkehrte. «Sie hat vorhin selbst gesagt, daß sie die Mutter mehr liebe ... Vielleicht haßt sie ihn, vielleicht liebt sie ihn gar nicht! — Und was war das: sich erhängen? Was sagte sie? Er, dieser Dummkopf, sich erhängen? Das muß ich in Erfahrung bringen, unbedingt! Man muß alles so schnell wie möglich bereinigen — endgültig bereinigen!»

VII. DER GATTE UND DER LIEBHABER KÜSSEN SICH

Er hatte es sehr eilig, «alles zu erfahren». «Heute morgen war ich wie betäubt, da hatte ich keine Zeit, zu überlegen», dachte er, während er sich die erste Begegnung mit Lisa vergegenwärtigte, «jetzt aber — jetzt muß ich alles erfahren.» Um diesen Zweck schneller zu erreichen, wollte er sich ohne Umwege zu Trussozkij fahren lassen, überlegte aber sofort: «Nein, es ist besser, wenn er zu mir kommt; ich werde inzwischen mit diesen verfluchten Geschäftsangelegenheiten ein Ende machen.»

Er stürzte sich fieberhaft in die Arbeit. Diesmal aber spürte er selbst, daß er sehr zerstreut war und besser daran täte, sich heute nicht mit Geschäften zu befassen. Um fünf Uhr, als er schon auf dem Wege zum Essen war, kam ihm — zum ersten Mal — plötzlich ein komischer Gedanke in den Sinn: daß er vielleicht nur den Lauf der Dinge störe, wenn er sich selbst in diesen Prozeß einmischte, selbst zu den Amtsstellen lief, sich ereiferte und seinen Rechtsanwalt, der sich vor ihm zu verstecken begann, abzufangen suchte. Er lachte fröhlich über diese seine Vermutung. «Wenn mir gestern solch ein Gedanke gekommen wäre, hätte er mich sehr betrübt», fügte er noch vergnügter hinzu. Aber ungeachtet dieser Heiterkeit wurde er immer zerstreuter und ungeduldiger und schließlich tief nachdenklich. Und obschon sein unruhiger Geist vieles aufgriff, kam letztlich doch nicht das dabei zustande, was er brauchte.

«Ich brauche ihn, diesen Menschen!» entschied er schließlich. «Ich muß ihn enträtseln und anschließend alles mit ihm bereinigen. Das ist ein — Zweikampf!»

Als er um sieben Uhr nach Hause kam, traf er Pawel Pawlowitsch nicht an und war aufs höchste erstaunt darüber, wurde dann regelrecht zornig und schließlich ganz niedergedrückt. Sogar Angst befiel ihn: «Weiß Gott, weiß Gott, womit das enden mag!» wiederholte er immer wieder, während er bald im Zimmer auf und ab ging, bald sich auf den Diwan ausstreckte und jeden Augenblick die Uhr herauszog. Schließlich gegen neun Uhr erschien Pawel Pawlowitsch. «Wenn dieser Mensch mit Vorbedacht handelte, er hätte keine bessere Zeit abwarten können als jetzt — derart mißgestimmt bin ich in diesem Augenblick», dachte Weltschaninoff und wurde dabei plötzlich ganz munter und unwahrscheinlich gut gelaunt.

Auf seine laute und lustig gestellte Frage, warum er so lange nicht erschienen sei, hatte Pawel Pawlowitsch nur ein schiefes Lächeln. Er setzte sich ungezwungen, nicht wie gestern, nieder und warf seinen Hut mit dem Trauerflor nachlässig auf einen zweiten Stuhl. Weltschaninoff bemerkte dieses veränderte Benehmen sofort und nahm es zur Kenntnis.

Ruhig und ohne überflüssige Worte, ohne die Erregung der anderen Male, erzählte er in Form eines Berichtes, wie er Lisa zur Familie Pogorjelzeff gebracht, wie freundlich man sie dort empfangen habe und wie gut ihr der Aufenthalt dort tun werde. Nach und nach, als habe er Lisa ganz vergessen, kam er in seiner Erzählung ausschließlich auf Pogorjelzeffs zu sprechen, das heißt darauf, was für liebe Menschen sie seien, wie lange die Bekanntschaft mit ihnen schon währe, was für eine gute und sogar einflußreiche Stellung Pogorjelzeff einnehme, und so weiter. Pawel Pawlowitsch hörte zerstreut zu und warf ihm hin und wieder unter gesenkten Lidern hervor einen Blick zu, den er mit einem mürrischen und verschlagenen Lächeln begleitete.

«Sie sind aber ein sehr hitziger Mensch», murmelte er, und sein Lächeln war dabei besonders garstig.

«Und Sie scheinen mir heute sehr boshaft zu sein», bemerkte Weltschaninoff verärgert.

«Warum sollte ich nicht boshaft sein wie alle andern?» fuhr Pawel Pawlowitsch ihn plötzlich an, als schnelle er mit seiner Frage hinter einer Häuserecke hervor. Ja er schien nur darauf gewartet zu haben, so herausspringen zu können.

«Ganz wie es Ihnen beliebt», erwiderte lächelnd Weltschaninoff. «Ich dachte nur: ob Ihnen vielleicht etwas widerfahren ist?»

«Ist mir auch etwas widerfahren!» rief der andere, als wolle er damit prahlen.

«Was denn?»

Pawel Pawlowitsch wartete ein wenig, ehe er antwortete.

«Ja, immer ist es unser Stepan Michailowitsch, der mir Streiche spielt ... Bagautoff, der eleganteste junge Mann aus der besten Petersburger Gesellschaft.»

«Hat er Sie etwa wieder nicht empfangen?»

«N-nein, eben diesmal wurde ich empfangen, zum ersten Mal ließ man mich vor, ich habe auch seine Gesichtszüge genau betrachten können — allerdings nur die seines Leichnams!»

«W-a-a-a-s? Bagautoff ist gestorben?» fragte Weltschaninoff über alle Maßen erstaunt, obschon er zu solcher Verwunderung gar keinen Grund hatte.

«Er, ja, er und kein anderer! Unser treuer Freund seit sechs Jahren! Schon gestern gegen Mittag ist er gestorben, und ich habe nichts gewußt! Vielleicht kam ich gerade in jenem Augenblick dahin, um mich nach seiner Gesundheit zu erkundigen. Morgen ist die Überführung der Leiche und die Beerdigung, er liegt schon im Sarg. Der Sarg ist mit karmesinrotem Samt ausgeschlagen, die Tressen sind aus Gold ... Er ist an einem Nervenfieber gestorben. Ja, man hat mich vorgelassen, hat mich vorgelassen, und ich habe seine Gesichtszüge betrachtet! Am Eingang erklärte ich, ich sei ein intimer Freund, darum hat man mich vorgelassen. Was hat er nur jetzt mit mir angestellt, dieser seit so vielen Jahren aufrichtige Freund! Ich frage Sie! Vielleicht bin ich einzig seinetwegen nach Petersburg gekommen!»

«Aber warum ärgern Sie sich denn so über ihn?» lachte Weltschaninoff. «Er ist doch nicht aus Bosheit gegen Sie gestorben!»

«Aber ich spreche doch mit Bedauern: ein teurer, edler Freund, der er mir gewesen ist!»

Pawel Pawlowitsch machte plötzlich, ganz unerwartet mit den Fingern zwei Hörner über seiner kahlen Stirn und brach in ein stilles, langdauerndes Kichern aus. So verblieb er, kichernd und mit den Hörnern, etwa eine halbe Minute lang und schaute mit arglistiger Frechheit Weltschaninoff in die Augen, als berauschte er sich daran. Dieser erstarrte, als sähe er ein Gespenst vor sich. Aber diese Starre währte nur einen ganz kurzen Augenblick: ein spöttisches und in seiner Ruhe fast zynisches Lächeln breitete sich ohne Eile auf seinen Lippen aus.

«Was soll denn das bedeuten?» fragte er nachlässig und die Worte dehnend.

«Das bedeutet Hörner!» schnitt Pawel Pawlowitsch ab und nahm endlich die Finger von der Stirn.

«Das heißt — etwa Ihre Hörner?»

«Meine eigenen, wohlerworbenen», erwiderte Pawel Pawlowitsch und verzerrte sein Gesicht zu einem besonders garstigen Lächeln.

Beide schwiegen eine Weile.

«Sie sind aber ein tapferer Mensch!» sagte schließlich Weltschaninoff.

«Weil ich Ihnen die Hörner gezeigt habe? Wissen Sie was, Aleksej Iwanowitsch, Sie täten gut daran, mich ein wenig zu bewirten, habe ich Sie doch in T. ein ganzes Jahr lang, jeden lieben Tag bewirtet . . . Lassen Sie mal ein Fläschchen holen, meine Kehle ist ganz ausgedörrt.»

«Mit Vergnügen, Sie hätten es schon längst sagen sollen. Was wünschen Sie?»

«Was denn: *Sie,* sagen Sie: *wir!* Wir werden doch zusammen trinken, oder etwa nicht?» Pawel Pawlowitsch blickte ihm herausfordernd, zugleich aber mit einer gewissen Unruhe in die Augen.

«Champagner?»

«Was denn sonst? Bis zu Wodka bin ich noch nicht gesunken . . .»

Weltschaninoff erhob sich ohne Eile, klingelte nach Mawra und gab ihr Anweisungen.

«Zur Feier der fröhlichen Wiederbegegnung nach neunjähriger Trennung», kicherte Pawel Pawlowitsch ungeschickt und fehl am Platze. «Jetzt habe ich nur mehr *einen* aufrichtigen Freund, der mir geblieben ist: Sie! Stepan Michailowitsch Bagautoff ist dahin. Wie sagt doch der Dichter:

> Nicht mehr ist der große Patroklus,
> Theseus nur, der verachtenswerte, lebt.»

Und beim Wort «Theseus» stieß er mit dem Finger gegen die eigene Brust.

«Du solltest dich schneller aussprechen, du Schwein, Anspielungen liebe ich nicht», dachte Weltschaninoff. Er kochte vor Wut und konnte sich nur mehr mit Mühe beherrschen.

«Sagen Sie mir doch folgendes», begann er gereizt, «wenn Sie Stepan Michailowitsch (er nannte ihn jetzt schon nicht mehr einfach Bagautoff) so unumwunden anschuldigen, so sollte es Sie, denke ich, doch nur freuen, daß Ihr Beleidiger gestorben ist, — warum ärgern Sie sich denn?»

«Worüber soll ich mich freuen, warum soll ich mich freuen?»

«Ich urteile ja nur nach Ihren Gefühlen.»

«He-he, diesbezüglich irren Sie sich in meinen Gefühlen. Ein weiser Mann hat schon gesagt: ‹Gut ist ein toter Feind, aber ein lebender ist besser›, hi-hi!»

«Aber den lebenden haben Sie doch, denke ich, fünf Jahre lang jeden Tag gesehen, da hatten Sie doch Zeit, sich an ihm sattzusehen», bemerkte Weltschaninoff verärgert und frech.

«Ja, habe ich denn da — habe ich denn damals gewußt?» fuhr Pawel Pawlowitsch ihn wieder an, als schnelle er hinter einer Hausecke hervor, und zwar mit einem Eifer, als freue er sich, daß man ihm endlich die Frage, auf die er so lange gewartet hatte, stellte. «Für wen halten Sie mich eigentlich, Aleksej Iwanowitsch?»

In seinem Blick gab es plötzlich einen vollständig neuen und unvermuteten Glanz, der sein bisher boshaftes und garstig verzerrtes Gesicht völlig veränderte.

«Sie haben also tatsächlich nichts gewußt!» sagte der bestürzte Weltschaninoff, aufs höchste verwundert.

«Ja, glauben Sie denn, ich hätte es gewußt? Auch nur das geringste gewußt? Oh, wie erbärmlich ist doch die Gattung unserer Jupiter! Für euch ist der Mensch nur ein Hund, und ihr beurteilt alle nach eurer eigenen erbärmlichen Natur! Da haben Sie's! Schlucken Sie's!» Und voller Jähzorn schlug er mit der Faust auf den Tisch, erschrak aber selbst davor und schaute verängstigt um sich.

Weltschaninoff warf sich in die Brust.

«Hören Sie mal, Pawel Pawlowitsch, geben Sie doch zu, daß es mir vollständig gleichgültig sein kann, ob Sie es gewußt haben oder nicht! Wenn Sie es nicht gewußt haben, macht Ihnen das jedenfalls eine gewisse Ehre, obschon ... Übrigens verstehe ich nicht, warum Sie gerade mich zu Ihrem Vertrauten auserwählen ...»

«Ich spreche nicht von Ihnen ... Ärgern Sie sich nicht ... nicht von Ihnen», murmelte Pawel Pawlowitsch und schaute zu Boden.

Mawra kam mit dem Champagner.

«Da ist er!» rief Pawel Pawlowitsch, offenbar froh über die Unterbrechung des Gespräches. «Die Gläschen, Mütterchen, die Gläschen! Wundervoll! Sonst brauchen wir nichts von

Ihnen, meine Liebe. Und auch schon entkorkt! Ehre und Ruhm Ihnen, teures Wesen! Nun, jetzt können Sie gehen! — Gestehen Sie», kicherte er plötzlich, «daß Sie entsetzlich neugierig sind und daß es Ihnen gar nicht vollständig gleichgültig ist, wie Sie sich auszudrücken beliebten, so daß es Sie sogar betrüben würde, wenn ich jetzt in diesem Augenblick aufstünde und fortginge, ohne Ihnen alles erklärt zu haben.»

«Nein, ich wäre wirklich nicht betrübt.»

«Oh, du lügst!» sprach das Lächeln Pawel Pawlowitschs.

«Nun, lassen Sie uns beginnen!» Und er goß den Wein in die Gläser. «Wir wollen anstoßen!» ließ er sich vernehmen und erhob sein Glas. «Trinken wir auf das Wohl des in Gott dahingegangenen Freundes Stepan Michailowitsch!»

Er setzte sein Glas an und trank es aus.

«Darauf trinke ich nicht!» sagte Welschaninoff und stellte sein Glas auf den Tisch.

«Warum denn nicht? Ein Trinksprüchlein ist doch immer recht?»

«Sagen Sie mal, als Sie hierherkamen, waren Sie da nicht schon betrunken?»

«Ich habe ein wenig getrunken. Wieso?»

«Nichts von Bedeutung, nur hatte ich den Eindruck, daß Sie gestern und namentlich heute morgen um die verstorbene Natalja Wassiljewna aufrichtig trauerten.»

«Und wer sagt Ihnen, daß ich nicht auch jetzt aufrichtig um sie trauere?» schnellte Pawel Pawlowitsch wieder hervor, als habe Weltschaninoff auf eine Sprungfeder gedrückt.

«Das wollte ich nicht gesagt haben ... Aber Sie müssen zugeben, daß Sie sich in bezug auf Stepan Michailowitsch geirrt haben können, und das ist eine wichtige Angelegenheit.»

Pawel Pawlowitsch lächelte durchtrieben und zwinkerte ihm zu.

«Sie möchten doch gar zu gerne wissen, wie ich das von Stepan Michailowitsch erfahren habe!»

Weltschaninoff errötete.

«Ich wiederhole Ihnen nochmals, daß mir das vollkommen

gleichgültig ist.» — «Soll ich ihn nicht sofort vor die Tür setzen, zusammen mit der Flasche?» dachte er wutentbrannt und wurde noch röter.

«Macht nichts!» sagte Pawel Pawlowitsch, als wolle er ihn aufmuntern, und schenkte sich noch ein Glas ein. «Ich werde Ihnen gleich erklären, wie ich ‹alles› erfahren habe, und Ihren glühenden Wunsch befriedigen, — denn Sie sind ein glühender Mensch, Aleksej Iwanowitsch, ein schrecklich glühender Mensch. He-he! Geben Sie mir nur eine Zigarette, denn seit dem Monat März...»

«Hier haben Sie eine Zigarette.»

«...seit dem Monat März bin ich ausschweifend geworden, Aleksej Iwanowitsch. Und nun hören Sie zu, wie alles so weit gekommen ist. Die Schwindsucht, wie Sie sicher selbst wissen, teurer Freund», fuhr er mit immer größerer Vertraulichkeit fort, «ist eine äußerst interessante Krankheit. Immer wieder kommt es vor, daß ein Schwindsüchtiger stirbt, ohne etwas von seinem nahen Ende zu ahnen. Ich sagte Ihnen doch, noch fünf Stunden vor Ihrem Abgang hat Natalja Wassiljewna erwogen, zwei Wochen später ihrer Tante, die etwa vierzig Werst von der Stadt entfernt lebt, einen Besuch abzustatten. Außerdem ist Ihnen wahrscheinlich auch die Gewohnheit, oder sagen wir besser: die Sucht bekannt, die vielen Damen eigen ist — und vielleicht auch vielen Herren —, allen alten Kram aufzubewahren, der mit der Korrespondenz in Liebessachen auch nur das geringste zu tun hat... Am sichersten wäre es doch, ihn in den Ofen zu stecken, nicht wahr? Aber nein, jeder Fetzen Papier wird sorgfältig in Schächtelchen und Kästchen gelegt und sogar nach Jahreszahl und Datum numeriert und geordnet. Ob das vielleicht Trost gibt — ich weiß es nicht. Wahrscheinlich tut man es der angenehmen Erinnerungen wegen. Daß sie noch fünf Stunden vor ihrem Ende Anstalten machte, zum Namenstagsfest der Tante zu fahren, zeigt, daß Natalja Wassiljewna natürlich mit keinem Gedanken an den Tod gedacht hatte, auch nicht in der allerletzten Stunde. Im

Gegenteil, sie erwartete immer noch Doktor Koch. So geschah es, daß Natalja Wassiljewna starb und das Ebenholzkästchen mit den perlmutternen und silbernen Intarsien in ihrem Schreibtisch blieb. Ein schönes Kästchen mit einem Schlüssel, ein Familienerbstück, sie hat es seinerzeit von ihrer Großtante geerbt. Nun, und aus diesem Kästchen kam alles zum Vorschein. Ohne jegliche Lücke, nach Jahr und Tag geordnet, die ganzen zwanzig Jahre unserer Ehe hindurch. Und da Stepan Michailowitsch entschieden einen Hang zur Literatur hatte — einmal sandte er sogar einer Zeitschrift eine höchst leidenschaftliche Novelle —, so fanden sich seiner Werke in diesem Kästchen fast an die hundert, allerdings auf fünf Jahre verteilt. Einige dieser Schriftstücke trugen sogar Randbemerkungen von der Hand Natalja Wassiljewnas. Angenehm für einen Gatten, was meinen Sie?»

Weltschaninoff dachte schnell nach und erinnerte sich keines Briefes noch irgendeines Zettelchens, das er an Natalja Wassiljewna geschrieben hätte. Aus Petersburg hatte er zwar zwei Briefe geschickt, aber diese waren an beide Eheleute gerichtet gewesen, wie es ausgemacht war. Auf den letzten Brief von Natalja Wassiljewna, in dem sie ihm den Abschied gab, hatte er nicht mehr geantwortet.

Als Pawel Pawlowitsch seine Erzählung beendet hatte, schwieg er eine ganze Minute lang und lächelte aufdringlich und erwartungsvoll.

«Warum antworten Sie mir nicht auf meine Frage?» gab er schließlich sichtlich gequält von sich.

«Auf welche Frage denn?»

«Auf die über die angenehmen Gefühle eines Gatten beim Öffnen eines solchen Kästchens.»

«Ach, was geht mich das an!» winkte Weltschaninoff voller Galle ab, erhob sich und begann im Zimmer hin und her zu gehen.

«Ich bin bereit zu wetten, daß Sie jetzt denken: ‹Du bist mir aber ein Idiot, daß du selbst deine Hörner aufzeigst›, he-he!

Ein sehr zart besaiteter Mensch sind Sie, Aleksej Iwanowitsch.»

«Ich denke überhaupt nicht darüber nach. Im Gegenteil. Der Tod Ihres Beleidigers hat Sie in Wut gebracht, und außerdem haben Sie zu viel Wein getrunken. Ich sehe in all dem nichts Ungewöhnliches. Ich verstehe nur zu gut, wozu Sie den lebendigen Bagautoff brauchten, und bin bereit, Ihre Wut zu achten, aber...»

«Und wozu brauchte ich denn Bagautoff Ihrer Meinung nach?»

«Das ist Ihre Sache.»

«Ich wette, daß Sie an ein Duell dachten!»

«Hol's der Teufel!» Weltschaninoff wurde immer gereizter. «Ich dachte, daß jeder anständige Mensch in ähnlichen Fällen sich nicht bis zu lächerlichem Gerede, bis zu dummen Verstellungen, albernen Klagen und garstigen Anspielungen erniedrigt, die ihn nur noch mehr beschmutzen, sondern offen und ehrlich handelt — eben wie ein anständiger Mensch! — So...»

«He-he! Vielleicht bin ich aber ein unanständiger Mensch!»

«Das ist wiederum Ihre Sache! Aber zu welchem Zweck brauchten Sie dann den lebendigen Bagautoff?»

«Wenn auch nur, um ihn anzuschauen, den lieben Freund. Wir hätten auch zusammen ein Fläschchen leeren können.»

«Er hätte gar nicht mit Ihnen getrunken.»

«Warum nicht? Noblesse oblige! Sie trinken doch auch mit mir, inwiefern ist er besser als Sie?»

«Ich habe mit Ihnen nicht getrunken.»

«Warum denn auf einmal diese Hoffärtigkeit?»

Weltschaninoff lachte plötzlich nervös und gereizt auf.

«Pfui Teufel! Sie sind entschieden ein ‹Raubtier-Typ›. Ich dachte bis jetzt, daß Sie nur ein ‹ewiger Gatte› seien und sonst nichts!»

«Wieso ein ‹ewiger Gatte›? Was ist das?» fragte Pawel Pawlowitsch und spitzte die Ohren.

«Ja, das ist so ein Typ von Ehemann... Lohnt nicht, es zu
erklären. Es wäre besser, Sie machten, daß Sie fortkommen,
es ist höchste Zeit für Sie! Sie langweilen mich!»

«Was ist denn so raubtierhaft an mir? Sie sagten doch ‹Raub-
tier›?»

«Ich redete nur so daher, um mich über Sie lustig zu machen.»

«Was denn für ein ‹Raubtier-Typ›? Bitte, erklären Sie, Aleksej
Iwanowitsch, um Gottes Willen... oder auch um Christi
Willen!»

«Nun, jetzt aber genug, genug!» schrie Weltschaninoff ihn an
und geriet plötzlich wieder in Wut. «Es ist höchste Zeit für
Sie! Scheren Sie sich fort!»

«Nein, nicht genug!» rief Pawel Pawlowitsch und sprang auch
auf. «Obwohl ich Sie langweile, so ist's noch immer nicht
genug, denn wir müssen vorher noch zusammen anstoßen und
trinken! Lassen Sie uns zusammen trinken, dann werde ich gehen, aber jetzt ist's noch nicht genug.»

«Pawel Pawlowitsch, können Sie sich heute noch zum Teufel
scheren, ja oder nein?»

«Ja, aber zuerst werden wir zusammen trinken! Sie sagten,
daß Sie gerade mit *mir* nicht trinken wollen, nun, und ich
will, daß Sie gerade mit *mir* trinken!»

Er schnitt jetzt keine Gesichter, auch kicherte er nicht mehr.
Alles in ihm schien sich verwandelt zu haben und wurde in
Gestalt und Verhalten so völlig zum Gegenteil jenes Pawel
Pawlowitsch, der eben noch dagesessen hatte, daß Weltschani-
noff ganz betroffen aufsah.

«He, lassen Sie uns trinken, Aleksej Iwanowitsch, Sie ver-
weigern es mir doch nicht!» fuhr Pawel Pawlowitsch fort
und umklammerte fest Weltschaninoffs Hand, während er
ihm sonderbar ins Gesicht blickte.

Augenscheinlich ging es nicht allein um das Trinken.

«Nun gut», murmelte dieser. «Aber was denn? Da ist doch
nur noch Satz!»

«Genau zwei Gläser sind noch übrig, zwar reinster Satz, aber wir wollen anstoßen und zusammen trinken. Hier, nehmen Sie Ihr Glas.»

Sie stießen an und tranken.

«Nun, wenn dem so ist, wenn dem so ist ... ach!»

Pawel Pawlowitsch fuhr sich plötzlich mit der Hand an die Stirn und verblieb einige Augenblicke in dieser Stellung. Weltschaninoff hatte das Vorgefühl, daß er jetzt gleich, gleich, in der nächsten Sekunde das *allerletzte* Wort aussprechen werde. Aber Pawel Pawlowitsch gab keinen Laut von sich. Er schaute ihn nur an und lächelte still über das ganze Gesicht; es war das gleiche arglistige Lächeln wie vorhin.

«Was wollen Sie, Sie betrunkener Mensch? Sie halten mich wohl zum besten?» schrie Weltschaninoff ihn wutentbrannt an und stampfte mit den Füßen.

«Schreien Sie nicht, schreien Sie nicht, warum denn schreien?» murmelte Pawel Pawlowitsch und winkte mit beiden Händen eilig ab. «Ich denke nicht daran, Sie zum besten zu halten, denke nicht daran! Wissen Sie auch, daß Sie jetzt für mich — das geworden sind?!»

Und er ergriff Weltschaninoffs Hand und küßte sie; der andere hatte kaum Zeit, zur Besinnung zu kommen.

«Das sind Sie jetzt für mich! Und nun — zu allen Teufeln mit mir!»

«Warten Sie, warten Sie!» rief der zu sich kommende Weltschaninoff. «Ich vergaß, Ihnen zu sagen ...»

Pawel Pawlowitsch kehrte an der Tür wieder um.

«Sehen Sie», murmelte Weltschaninoff sehr eilig, wobei er errötete und anderswo hinschaute, «Sie sollten morgen unbedingt bei Pogorjelzeffs einen Besuch machen ... sie kennenlernen und sich bedanken, unbedingt ...»

«Unbedingt, unbedingt, wie sollte ich das nicht verstehen!» fiel Pawel Pawlowitsch mit ungewöhnlicher Bereitwilligkeit ein, als ob es der Erwähnung gar nicht bedurft hätte.

«Zudem werden Sie von Lisa sehnlichst erwartet. Ich habe versprochen ...»

«Lisa», kehrte Pawel Pawlowitsch wieder zurück, «Lisa? Wissen Sie denn auch, was Lisa für mich bedeutet, hat, bedeutet hat und noch bedeutet? Bedeutet hat und noch bedeutet!» schrie er plötzlich fast in Verzückung. «Aber ... he, davon später, alles kommt später ... Und jetzt genügt es mir schon nicht mehr, daß wir zusammen getrunken haben, Aleksej Iwanowitsch, jetzt bedarf ich einer anderen Genugtuung ...»

Er legte seinen Hut auf einen Stuhl und schaute Weltschaninoff wie vorhin mit verhaltenem Atem an.

«Küssen Sie mich, Aleksej Iwanowitsch!» schlug er plötzlich vor.

«Sie sind betrunken!» rief dieser und fuhr zurück.

«Jawohl, betrunken, aber küssen Sie mich trotzdem. Nun, küssen Sie mich! Ich habe Ihnen doch die Hand geküßt!»

Einige Augenblicke schwieg Aleksej Iwanowitsch, als hätte er einen Schlag auf den Kopf bekommen. Aber plötzlich beugte er sich zu Pawel Pawlowitsch herunter, der ihm bis an die Schulter reichte, und küßte ihn auf den stark nach Wein riechenden Mund. Später übrigens war er nicht mehr ganz sicher, ob er ihn wirklich geküßt hatte.

«Nun, jetzt, jetzt», rief Pawel Pawlowitsch im Überschwang des Betrunkenen und funkelte mit verglasten Augen, «jetzt sage ich Ihnen etwas! Damals dachte ich: Sollte etwa auch dieser? Wenn auch dieser — so dachte ich —, wem soll man dann noch glauben?!»

Pawel Pawlowitsch brach plötzlich in Tränen aus.

«Verstehen Sie jetzt, was Sie für mich bedeuten?»

Und er rannte mit seinem Hut aus dem Zimmer.

Weltschaninoff blieb wie nach dem letzten Besuch Pawel Pawlowitschs einige Minuten lang mitten im Zimmer auf dem gleichen Fleck stehen.

«Ach, ein besoffener Narr, sonst nichts!» Und er machte eine wegwerfende Handbewegung.

«Jawohl, sonst nichts!» bekräftigte er nochmals energisch, als er sich schon ausgezogen hatte und ins Bett legte.

VIII. LISA IST KRANK

Am Morgen des nächsten Tages ging Weltschaninoff im Zimmer auf und ab und erwartete Pawel Pawlowitsch, der versprochen hatte, nicht zu spät zu kommen, um zu Pogorjelzeffs zu fahren. Er schlürfte seinen Kaffee, rauchte und mußte sich eingestehen, daß er Ähnlichkeit mit einem Menschen hatte, der am Morgen erwacht und sich daran erinnert, daß er am vorhergehenden Abend eine Ohrfeige bekommen hat. «Hm...! Er versteht nur zu gut, worum es geht, und wird sich an mir rächen, indem er Lisa weh tut!» dachte er voller Schrecken.

Das traurige Bild des lieben, bedauernswerten Kindes erstand in seiner Vorstellung für einen Augenblick, und sein Herz begann heftiger zu pochen bei dem Gedanken, daß er noch heute, bald, in zwei Stunden *seine* Lisa wiedersehen werde.

«Ach, wozu viele Worte verlieren!» beschloß er mit Feuereifer, «dies ist nun mein ganzes Leben, mein einziges Ziel! Was sollen da alle Ohrfeigen und Erinnerungen! Wofür habe ich denn bis heute überhaupt gelebt? Unordnung und Kummer... aber jetzt — jetzt ist es etwas ganz anderes, jetzt ist alles anders!»

Doch seinem ganzen Überschwang zum Trotz versank er mehr und mehr in Nachdenken.

«Er wird mich mit Lisa quälen, das ist klar! Und auch Lisa wird er quälen. Damit will er sich an mir für *alles* rächen. Hm...! Solche Ausfälle wie gestern kann ich ihm selbstredend nicht mehr gestatten» — er errötete plötzlich —, «aber... aber es ist schon fast zwölf Uhr, und er kommt immer noch nicht!»

Er wartete bis halb eins, und immer drückender senkte sich die Schwermut auf ihn. Pawel Pawlowitsch erschien nicht.

Schließlich wurde ihm ein Gedanke, der sich schon lange in ihm rührte, bewußt, nämlich daß Pawel Pawlowitsch mit Vorbedacht nicht komme, einzig und allein um ihm wieder einen Streich zu spielen, wie gestern. «Er weiß, daß ich von ihm abhänge. Und was wird jetzt mit Lisa geschehen? Wie soll ich vor sie hintreten ohne ihn?»

Schließlich hielt er es nicht mehr aus und begab sich genau um ein Uhr in den Pokrowschen Gasthof. Dort wurde ihm erklärt, daß Pawel Pawlowitsch nicht zu Hause übernachtet habe, daß er erst gegen Morgen, etwa um neun Uhr, heimgekommen sei, sich nur eine Viertelstunde zu Hause aufgehalten und dann wieder fortbegeben habe. Weltschaninoff stand vor Pawel Pawlowitschs Zimmer, hörte, was das Stubenmädchen ihm erzählte, und drehte ganz gedankenlos an der Klinke der verschlossenen Tür, zog und rüttelte daran. Als er sich dessen bewußt wurde, spuckte er ärgerlich aus, ließ das Schloß los und bat, zu Marja Ssyssojewna geführt zu werden. Diese kam ihm, als sie hörte, wer nach ihr fragte, eifrig entgegen.

Sie war eine gutherzige Frau, «ein Weib mit edlen Gefühlen», wie Weltschaninoff sie beschrieb, als er später diese Unterredung vor Claudia Petrowna wiedergab. Nachdem Marja Ssyssojewna sich erkundigt hatte, ob das Mädchen gestern gut angekommen sei, erging sie sich sofort in Geschichten über Pawel Pawlowitsch. Wenn es nach ihr gegangen wäre, hätte sie ihm schon längst gekündigt.

«Aber da war doch das Kind! — Auch aus dem Gasthof hat man ihn geworfen, weil er allzu sehr über die Stränge geschlagen hat. Ist das denn nicht sündhaft? Nachts bringt er ein Weibsbild hierher, wo doch das Kind ist, das alles sieht. Und er soll geschrien haben: ‹Wenn ich will, wird diese deine Mutter sein!› Und glauben Sie mir, selbst dieses Weibsbild, selbst sie spuckte ihm ins Gesicht. Und er schreit das Kind an: ‹Du bist nicht meine Tochter, bist ein Bastard, ja, das bist du!›»

«Was?» Weltschaninoff schrak zusammen.

«Ich habe es selbst gehört. Allerdings, ein Betrunkener ist ja gewissermaßen empfindungslos, aber immerhin ist es nicht gut für das Kind! Auch wenn es noch klein ist, aber es grübelt doch darüber nach! Und die Kleine weint und weint, und ich sehe ja, daß sie sich ganz zerquält! Und neulich ist hier bei uns etwas Sündhaftes geschehen: Ein Kommissar hat — so erzählen die Leute — eines Abends ein Zimmer hier im Gasthof belegt und sich gegen Morgen erhängt. Man sagt, er habe Geld durchgebracht. Das Volk lief zusammen, Pawel Pawlowitsch war nicht zu Hause, das Kindchen geht ohne Aufsicht herum, und da sehe ich plötzlich, daß sie dort im Korridor unter allen anderen steht und mit ganz sonderbaren Augen auf den Erhängten starrt. Ich habe sie schleunigst hierhergebracht, und was denken Sie — die Kleine zitterte am ganzen Körper, wurde blau, und kaum war sie im Zimmer, da lag sie auch schon in Krämpfen. Nur mit Mühe kam sie wieder zu sich. Ob es nun die Fallsucht war — aber seit jener Zeit fing sie an zu kränkeln. Als er nach seiner Heimkehr davon erfuhr, kniff er sie — denn er schlägt nicht, er kneift nur —, ging wieder fort, goß sich mit Wein voll, und als er zurückkam, fing er an, ihr Angst zu machen: ‹Ich werde mich auch erhängen›, sagte er, ‹deinetwegen werde ich mich erhängen, mit dieser Schnur da, an diesem Fenster werde ich mich aufknüpfen›, und macht vor ihren Augen die Schlinge. Und die Kleine kennt sich nicht mehr vor Angst, schreit, umschlingt ihn mit ihren Ärmchen: ‹Ich will gut sein›, ruft sie, ‹ich werde es nie wieder tun.› Welch ein Jammer!»

Dann gab es noch eine Geschichte, daß Lisa sich zum Fenster hinausgestürzt hätte, wenn Marja Ssyssojewna nicht in letzter Sekunde herzugesprungen wäre.

Weltschaninoff hatte zwar etwas sehr Merkwürdiges erwartet, aber diese Dinge erschütterten ihn dermaßen, daß er fast nicht imstande war, sie zu glauben.

Er verließ das Haus wie betrunken: «Ich werde ihn mit dem

Stock erschlagen wie einen Hund», phantasierte er. Und noch lange sagte er das immer wieder vor sich hin.

Er mietete eine Droschke und begab sich zu Pogorjelzeffs. Ehe er aber die Stadtgrenze verlassen hatte, war die Droschke gezwungen, an einer Straßenkreuzung bei einer kleinen Brücke stehenzubleiben, da diese eben von einem großen Leichenzug überquert wurde. Auf beiden Seiten stauten sich wartende Equipagen, auch Fußgänger blieben stehen. Die Beerdigung war sehr vornehm und der Zug der hinausgeleitenden Fahrzeuge daher sehr lang. Hinter einem Wagenfenster erblickte Weltschaninoff plötzlich das Gesicht Pawel Pawlowitschs. Er hätte es nicht geglaubt, wenn jener nicht den Kopf zum Fenster hinausgesteckt und ihm zugenickt und zugelächelt hätte. Offenbar war er sehr froh darüber, Weltschaninoff zu sehen. Er fing sogar an, ihm aus dem Wagen Zeichen zu machen. Weltschaninoff sprang aus seiner Droschke und lief, ungeachtet des Gedränges, der Polizisten und der Entfernung, zu ihm hinüber. Pawel Pawlowitsch saß ganz allein im Wagen.

«Was ist denn mit Ihnen los?» rief Weltschaninoff. «Warum sind Sie nicht gekommen? Was machen Sie hier?»

«Ich erweise ihm die letzte Ehre ... Schreien Sie nicht, schreien Sie nicht ... Ich erweise ihm die letzte Ehre», kicherte Pawel Pawlowitsch, lustig mit den Augen zwinkernd. «Die irdischen Überreste meines Freundes Stepan Michailowitsch begleite ich hinaus.»

«Unsinn, Sie betrunkener, wahnwitziger Mensch», schrie nach der ersten Betroffenheit Weltschaninoff noch lauter. «Steigen Sie sofort aus und setzen Sie sich zu mir, sofort.»

«Ich kann nicht, die Pflicht ...»

«Ich hole Sie mit Gewalt heraus!»

«Und ich werde schreien!» kicherte ebenso lustig wie vorhin Pawel Pawlowitsch, als spiele man mit ihm. Er versteckte sich im hinteren Winkel des Wagens.

«Achtung, Achtung! Sie werden überfahren!» rief ein Polizist. In der Tat hatte eine Equipage, die nicht zum Trauerzug gehörte, beim Hinabfahren von der Brücke große Verwirrung angestiftet. Weltschaninoff war gezwungen, zur Seite zu springen. Andere Wagen und die Menschenmenge drängten ihn weiter ab. Er spuckte aus und zwängte sich zu seiner Droschke durch.

«In diesem Zustand hätte man ihn ohnehin nicht mitbringen können!» dachte er erregt und überrumpelt.

Als er Claudia Petrowna von der Erzählung Marja Ssyssojewnas und von dem sonderbaren Zusammentreffen beim Leichenzug berichtete, wurde sie sehr nachdenklich.

«Ich habe Angst um Sie», sagte sie, «Sie müssen jegliche Beziehung zu ihm abbrechen, und je eher, desto besser.»

«Ein betrunkener Narr ist er, weiter nichts!» rief Weltschaninoff jähzornig. «Vor so einem soll ich Angst haben? Und wie kann ich denn die Beziehung abbrechen? Da ist doch Lisa! Denken Sie an Lisa!»

Inzwischen war Lisa krank geworden. Am Abend vorher hatte das Fieber eingesetzt, und man erwartete einen bekannten Arzt aus der Stadt, nach dem man in aller Frühe schon einen Boten ausgeschickt hatte. Das brachte Weltschaninoff endgültig aus den Fugen. Claudia Petrowna führte ihn zu der Kranken.

«Ich habe sie gestern genau beobachtet», sagte sie und blieb vor Lisas Zimmer stehen. «Sie ist ein stolzes und sehr finsteres Kind. Sie schämt sich, daß sie bei uns ist und daß der Vater sie verlassen hat. Das ist meiner Ansicht nach die ganze Krankheit.»

«Verlassen? Warum glauben Sie, daß er sie verlassen hat?»

«Allein die Tatsache, daß er sie hierherbringen ließ, in ein ihm ganz unbekanntes Haus, von einem Menschen, der — doch auch fast fremd ist oder mit dem er in solcher Beziehung steht ...»

«Aber ich habe sie doch selbst mitgenommen, mit Gewalt! Ich finde nicht —»

«Ach, mein Gott, aber Lisa, das Kind findet es! Meiner Meinung nach wird er überhaupt nie kommen!»

Lisa war gar nicht erstaunt, Weltschaninoff allein zu sehen; sie lächelte nur traurig und wandte ihr fieberheißes Köpfchen zur Wand. Auf Weltschaninoffs schüchterne Trostversuche und sein glühendes Versprechen, den Vater morgen ganz bestimmt mitzubringen, gab sie keine Antwort. Als er aus ihrem Zimmer kam, brach er in Tränen aus.

Der Arzt langte erst gegen Abend an. Nach einer gründlichen Untersuchung der Kleinen erschreckte er alle mit der Bemerkung, man habe nicht gut daran getan, ihn erst jetzt zu konsultieren. Als man ihm bedeutete, das Kind sei erst seit dem vergangenen Abend krank, wollte er dies anfangs gar nicht glauben. «Alles hängt jetzt davon ab, wie die Nacht verlaufen wird», schloß er, traf noch seine Anordnungen und fuhr mit dem Versprechen in die Stadt zurück, am nächsten Tag so früh wie möglich wiederzukommen. Weltschaninoff wollte erst unbedingt über Nacht dableiben, aber Claudia Petrowna bestimmte ihn dazu, noch einmal «den Versuch zu machen, diesen Unmenschen herzubringen».

«Noch einmal?» wiederholte Weltschaninoff in äußerster Wut. «Ja, ich werde ihn jetzt mit eigenen Händen fesseln und herbeizerren.»

Der Gedanke, Pawel Pawlowitsch mit eigenen Händen zu fesseln und herzubringen, bekam solche Gewalt über ihn, daß er äußerst ungeduldig wurde. «Ich fühle mich überhaupt nicht schuldig, in keiner Beziehung fühle ich mich jetzt schuldig vor ihm!» sagte er beim Abschied zu Claudia Petrowna. «Ich widerrufe alle kleinmütigen und weinerlichen Worte, die ich gestern hier gesprochen habe», fügte er in höchster Empörung hinzu.

Lisa lag mit geschlossenen Augen da und schien zu schlafen. Man hätte meinen können, es gehe ihr besser. Als Weltschaninoff sich vorsichtig über ihr Köpfchen beugte, um zum Abschied wenigstens den Saum ihres Hemdchens zu küssen, öffnete sie plötzlich die Augen, als habe sie auf ihn gewartet, und flüsterte ihm zu:

«Bringen Sie mich fort!»

Es war eine stille, traurige Bitte, ohne die geringste Spur der gestrigen Gereiztheit, und man konnte heraushören, daß sie selbst völlig davon überzeugt war, man werde diese Bitte keinesfalls erfüllen. Kaum hatte Weltschaninoff begonnen, verzweifelt zu beteuern, dies sei unmöglich, da schloß sie auch schon wieder schweigend die Augen und gab kein Wort mehr von sich, als höre und sehe sie ihn nicht.

Als Weltschaninoff in die Stadt zurückkam, ließ er sich gleich zum Pokrowschen Gasthof fahren. Es war schon zehn Uhr nachts. Pawel Pawlowitsch war nicht zu Hause. Weltschaninoff wartete auf ihn eine geschlagene halbe Stunde, wobei er mit geradezu krankhafter Ungeduld im Korridor auf und ab ging. Schließlich überzeugte ihn Marja Ssyssojewna, daß Pawel Pawlowitsch erst gegen Morgen, wenn es zu grauen beginne, heimkehren werde.

«Nun, dann komme ich bei Tagesanbruch zurück», beschloß Weltschaninoff und ging empört nach Hause.

Wie groß aber war sein Erstaunen, als er, noch ehe er seine Wohnung betreten hatte, von Mawra erfuhr, daß der gestrige Gast ihn schon seit zehn Uhr erwarte.

«Beliebten Tee bei uns zu trinken, haben dann Wein holen lassen, den gleichen wie gestern abend, und haben mir einen Fünfrubelschein dafür gegeben.»

IX. DAS GESPENST

Pawel Pawlowitsch hatte es sich überaus bequem gemacht. Er saß im gleichen Stuhl wie gestern, rauchte Zigaretten und schenkte sich eben den vierten und letzten Becher aus der Flasche ein. Eine Teekanne und ein nicht geleertes Glas standen neben ihm auf dem Tisch. Sein gerötetes Gesicht strahlte leutselige Gutmütigkeit aus. Er hatte sogar seinen Frack ausgezogen und saß sommerlich in Hemdsärmeln da.

«Verzeihen Sie, teuerster Freund!» rief er, als er Weltschaninoff erblickte, und machte eiligst Anstalten, den Frack wieder anzuziehen, «ich habe ihn abgelegt, um den Augenblick besser genießen zu können...»

Weltschaninoff näherte sich ihm drohend.

«Sind Sie noch nicht völlkommen betrunken? Kann man noch mit Ihnen sprechen?»

Pawel Pawlowitsch schien es ein wenig bange zu werden.

«Nein... nicht vollkommen... Ich habe der Verstorbenen gedacht... aber... nein, nicht vollkommen...»

«Werden Sie mich verstehen?»

«Deswegen bin ich ja hier, um Sie zu verstehen.»

«Nun, dann will ich gleich damit beginnen, daß ich Ihnen sage: Sie sind — ein Schurke!» schrie Weltschaninoff wutentbrannt.

«Wenn Sie damit beginnen, womit wollen Sie denn enden?» versuchte Pawel Pawlowitsch, der es offensichtlich sehr mit der Angst zu tun bekam, sich schüchtern zu widersetzen, aber Weltschaninoff schrie, ohne auf ihn zu hören, weiter:

«Ihre Tochter liegt im Sterben, sie ist krank; haben Sie sie ihrem Schicksal überlassen oder nicht?»

«Liegt sie wirklich schon im Sterben?»

«Sie ist krank, krank, sehr gefährlich krank!»

«Vielleicht sind es nur Anfällchen...»

«Reden Sie keinen Unsinn! Sie ist ü-ber-aus ge-fähr-lich krank! Allein deswegen hätten Sie hinfahren müssen, um —»

«Um meinen Dank auszusprechen, für die Gastfreundschaft, um meinen Dank auszusprechen! Verstehe ich nur zu gut! Aleksej Iwanowitsch, Lieber, Teurer», er umfaßte Weltschaninoffs Hand mit seinen beiden Fäusten und rief mit der Stimme des Betrunkenen, fast weinend, als bäte er um Verzeihung: «Aleksej Iwanowitsch, schreien Sie nicht, schreien Sie nicht! Wenn ich jetzt sterbe, wenn ich jetzt betrunken in die Newa stürze — was ist denn dabei, was ändert das an den Dingen, wie sie nun einmal liegen? Und zu Herrn Pogorjelzeff werden wir noch immer rechtzeitig kommen...»

Weltschaninoff schaute ihn an und beherrschte sich ein wenig. «Sie sind betrunken, und darum ist es unverständlich, was Sie damit sagen wollen», bemerkte er streng. «Ich bin immer bereit, alles zwischen uns zu bereinigen, je eher, desto lieber ... Ich fuhr auch hierher, um ... Aber vor allem müssen Sie wissen, daß ich von nun an meine Vorsichtsmaßnahmen treffen werde: heute müssen Sie bei mir übernachten! Morgen früh nehme ich Sie dann mit, und wir fahren hinaus. Ich werde Sie nicht fortlassen!» brüllte er wieder. «Ich werde Sie binden und in meinen Armen hinbringen! — Ist Ihnen dieser Diwan bequem?» wies er, nach Luft schnappend, auf ein breites und weiches Lager, das an der anderen Wand dem seinen gegenüberstand.

«Aber ich bitte Sie, überall —»

«Nicht überall, sondern auf diesem Diwan! Nehmen Sie, hier haben Sie ein Laken, eine Decke, ein Kissen (das alles zog Weltschaninoff aus dem Schrank und warf es eilig Pawel Pawlowitsch zu, der es ergeben auffing), machen Sie sofort Ihr Bett, so machen Sie es doch!»

Der bepackte Pawel Pawlowitsch stand unentschlossen mitten im Zimmer, ein breites Lächeln auf dem betrunkenen Gesicht. Aber beim zweiten drohenden Befehl Weltschaninoffs stürzte er sich Hals über Kopf in eine geschäftige Tätigkeit, schob den Tisch beiseite und begann ächzend die Laken auseinanderzufalten und über den Diwan zu breiten. Weltschaninoff trat hinzu, um ihm zu helfen. Er war sehr zufrieden, daß sein Gast sich so erschreckt hatte und solche Ergebenheit zeigte.

«Trinken Sie Ihr Glas aus und legen Sie sich hin», befahl er wieder. Er fühlte, daß er nicht anders konnte als befehlen. «Haben Sie den Wein holen lassen?»

«Ja, ich — den Wein; ich wußte, Aleksej Iwanowitsch, daß Sie keinen mehr holen lassen würden.»

«Sehr gut, daß Sie das wußten, aber es ist nötig, daß Sie noch mehr erfahren. Ich erkläre Ihnen noch einmal, daß ich jetzt meine Maßnahmen treffe: Ihre Falschheit dulde ich nicht mehr und Ihre betrunkenen Küsse — wie gestern — auch nicht!»

«Ich sehe schon selbst, Aleksej Iwanowitsch, daß dies nur einmal möglich war», erwiderte Pawel Pawlowitsch schmunzelnd. Auf diese Antwort hin blieb Weltschaninoff, der bisher im Zimmer auf und ab gegangen war, plötzlich fast feierlich vor Pawel Pawlowitsch stehen.

«Pawel Pawlowitsch, sprechen Sie offen! Sie sind klug, ich gebe es ein übriges Mal zu, aber ich versichere Ihnen, Sie befinden sich auf falschem Wege! Reden Sie offen, handeln Sie offen, und, ich gebe Ihnen mein Ehrenwort, ich werde Ihnen auf alles Rede und Antwort stehen.»

Pawel Pawlowitsch schmunzelte wieder sein breites Lächeln, das allein schon imstande war, Weltschaninoff in Wut zu versetzen.

«Halt! Verstellen Sie sich nicht!» schrie er ihn wieder an. «Ich durchschaue Sie! Nochmals wiederhole ich jetzt: ich gebe Ihnen mein Ehrenwort, daß ich bereit bin, Ihnen Rede und Antwort zu stehen, und Sie können von mir jede mögliche Genugtuung bekommen, nein, sogar die unmöglichste! Ach, wenn Sie mich nur verstehen wollten!»

«Da Sie so gütig sind», sagte Pawel Pawlowitsch und schob sich näher an ihn heran, «muß ich gestehen, daß es mich im höchsten Maße interessiert, was Sie gestern vom ‹Raubtier-Typ› gesagt haben!»

Weltschaninoff spuckte aus und begann wieder, noch schneller als vorher, im Zimmer auf und ab zu gehen.

«Nicht doch, Aleksej Iwanowitsch, spucken Sie nicht, denn das interessiert mich sehr, und ich bin gekommen, um in Erfahrung zu bringen ... Meine Zunge gehorcht mir nicht ganz, Sie müssen verzeihen ... Ich habe doch über diesen ‹Raubtier-Typ› und über den ‹zahmen› Typ in den Zeitschriften gelesen, in der kritischen Rubrik, erst heute morgen kam es mir wieder in den Sinn, — ich hatte es vergessen, aber um die Wahrheit zu sagen, damals habe ich es auch nicht recht verstanden. Ich möchte das doch gerne erfahren: Stepan Michailowitsch Bagautoff, der Verstorbene — gehörte er zum ‹Raubtier-Typ› oder zum Typ der ‹Zahmen›? Wo soll man ihn einordnen?»

Weltschaninoff ging immer noch schweigend im Zimmer auf und ab.

«Zum ‹Raubtier-Typ› gehört der Mensch», sagte er und blieb plötzlich und wütend stehen, «der lieber beim gemeinsamen Leeren einer Champagnerflasche zur Feier eines angenehmen Wiedersehens, wie Sie es gestern bei mir taten, Bagautoff vergiftet hätte, als seinen Sarg zum Friedhof zu begleiten, wie Sie es heute morgen getan haben, weiß der Teufel, mit welchen geheimen, widerwärtigen Hintertreppenabsichten, die Ihnen nur zur Schande gereichen und Sie beschmutzen! Sie selbst!»

«Das ist wahr, er hätte ihn nicht hinausbegleitet», bestätigte Pawel Pawlowitsch, «nur verstehe ich nicht, wieso Sie auf mich —»

«Er ist nicht der Mensch», schrie Weltschaninoff und ereiferte sich, ohne zuzuhören, «der sich selbst Gott weiß was vormacht, das Fazit der Gerechtigkeit zieht, seine erfahrene Schmach wie eine Schulaufgabe auswendig lernt, klagt, sich verstellt, den Narren spielt, sich den Leuten an den Hals wirft und — siehe da — damit seine ganze Zeit verbringt! Ist es wahr, daß Sie sich erhängen wollten? Ist es wahr?»

«Im Rausch habe ich vielleicht davon phantasiert, — ich weiß es nicht mehr. — Unsereinem steht es nicht an, Gift einzuflößen. Abgesehen davon, daß ich ein Beamter mit gutem Leumund bin, besitze ich doch vielleicht auch ein gewisses Vermögen, und vielleicht will ich zudem einmal wieder heiraten.»

«Und man könnte zu Zwangsarbeit verurteilt werden.»

«Nun ja, auch diese Unannehmlichkeit wäre zu bedenken, obschon man heute vor Gericht viele mildernde Umstände anführen kann. — Aber ich wollte Ihnen, Aleksej Iwanowitsch, eine Geschichte erzählen — sie ist mir neulich in der Equipage wieder eingefallen —, eine unwahrscheinlich komische Geschichte. Sie sagten eben: ‹sich den Leuten an den Hals werfen›. Erinnern Sie sich vielleicht an Semjon Petrowitsch Livzoff, er besuchte uns noch zu Ihrer Zeit in T. Nun, sein jüngerer Bruder, auch so ein junger Mann aus der besten Petersburger Gesellschaft, diente in W. beim Gouverneur und glänzte dort mit seinen verschiedenen Fähigkeiten. Eines Tages hatte er in einer Gesellschaft, in Gegenwart vieler Damen und auch der Dame seines Herzens, einen Streit mit Oberst Golubjonko. Er fühlte sich in seiner Ehre verletzt, schluckte aber die Kränkung und ließ keinen etwas merken. Golubjonko machte ihm dann später die Dame seines Herzens abspenstig und hielt um ihre Hand an. Und was denken Sie? Schließt doch dieser Livzoff Freundschaft mit Golubjonko, versöhnt sich mit ihm und — dessen nicht genug — drängt sich ihm sogar als Brautführer auf! Und als man aus der Kirche nach Hause kommt, geht er auf Golubjonko zu, um ihm zu gratulieren und ihn zu umarmen, und in Gegenwart der ganzen illustren Gesellschaft, des Gouverneurs, im Frack, wie er war, geschniegelt und gebügelt — fährt er Golubjonko mit einem Messer in den Leib, daß er sich nur so überschlägt! Der eigene Brautführer! Welche Schmach! Aber das ist noch nicht alles! Kaum hat er den anderen niedergestochen, rennt er wie verzweifelt herum und ruft: ‹Ach, was habe ich getan! Ach, was habe ich getan!› Und die Tränen fließen in Strömen, er zittert am ganzen Körper, wirft sich allen an den Hals, sogar den Damen. ‹Ach, was habe ich getan! Ach, was habe ich nur getan!› He-he-he! Wahnsinnig komisch. Nur Golubjonko war zu bedauern, aber er ist später wieder gesund geworden.»

«Ich kann nicht einsehen, warum Sie mir das erzählt haben», sagte Weltschaninoff streng und machte ein mürrisches Gesicht.

«Deshalb, weil er ihm mit dem Messer in den Leib gefahren ist», kicherte Pawel Pawlowitsch, «obschon — wie man sieht — er doch gar nicht zu jenem Typ gehörte, sondern ein Muttersöhnchen war, vor Angst sogar die Anstandsregeln vergaß und in Gegenwart des Gouverneurs den Damen um den Hals fiel. Aber immerhin — er hat ihm doch das Messer in den Leib gerannt, hat doch das erreicht, was er wollte. Ich erzählte es nur deswegen.»

«Scheren Sie sich zum Teufel!» brüllte Weltschaninoff plötzlich mit einer ihm unbekannten Stimme, die klang, als wäre etwas in ihm gerissen. «Scheren Sie sich fort mit Ihrem Hintertreppenschmutz! Sie selbst sind letzter Hintertreppenunflat! Mir Angst einjagen wollen! Sie Peiniger Ihres Kindes! Sie niederträchtiger Mensch! Sie Schurke, Schurke, Schurke!» brüllte er, seiner selbst nicht mehr mächtig, und rang bei jedem Wort nach Atem.

Pawel Pawlowitsch riß es förmlich zusammen, sogar der Rausch sprang von ihm ab; seine Lippen bebten.

«Mich nennen Sie einen Schurken? Aleksej Iwanowitsch: *Sie — mich?*»

Aber Weltschaninoff war schon wieder zu sich gekommen.

«Ich bin bereit, um Entschuldigung zu bitten», erwiderte er, nachdem er, eine Weile in düsteres Nachdenken versunken, geschwiegen hatte, «aber nur, wenn Sie sich sofort bereit erklären, offen zu handeln.»

«Ich würde an Ihrer Stelle in jedem Fall um Verzeihung bitten, Aleksej Iwanowitsch.»

«Gut, halten wir es so», sagte Weltschaninoff nach wiederholtem kurzem Schweigen, «ich bitte Sie um Verzeihung. Aber geben Sie selbst zu, Pawel Pawlowitsch, daß ich nach all dem Ihnen in keiner Weise mehr verpflichtet bin, das heißt, ich spreche jetzt in bezug auf die *ganze* Angelegenheit, und nicht allein in bezug auf das eben Vorgefallene.»

«Schon gut, ist nicht der Rede wert!» erwiderte Pawel Pawlowitsch und schmunzelte wieder.

«Nun, dann um so besser, um so besser! Trinken Sie Ihren Wein aus und legen Sie sich nieder, denn ich werde Sie nicht fortlassen.»

«Ja so ... der Wein ..» murmelte Pawel Pawlowitsch ein wenig verlegen, ging aber doch auf den Tisch zu und begann das längst eingeschenkte, letzte Glas zu trinken. Vielleicht hatte er sich schon vorher viel eingeflößt, denn seine Hand zitterte, und er vergoß einen Teil des Weines über sein Hemd, seine Weste und auf den Boden; aber er trank doch alles bis zum letzten Tropfen aus, als könne er nichts ungetrunken lassen, stellte dann ehrerbietig das geleerte Glas auf den Tisch und trat ergeben an sein Bett, um sich dort zu entkleiden.

«Wäre es nicht besser — nicht zu schlafen?» fragte er plötzlich aus irgendeinem Grunde, nachdem er schon einen Schuh ausgezogen hatte und ihn in der Hand hielt.

«Nein, es wäre nicht besser!» antwortete zornig, ohne ihn anzuschauen, Weltschaninoff, der unausgesetzt im Zimmer auf und ab ging.

Pawel Pawlowitsch entkleidete sich ganz und schlüpfte unter die Decke. Nach einer Viertelstunde legte sich auch Weltschaninoff nieder und löschte das Licht.

Er sank in unruhigen Schlaf. Etwas Neues, die ganze Sache noch mehr Verwirrendes, das von irgendwoher plötzlich aufgetaucht war, beunruhigte ihn jetzt, und zur gleichen Zeit fühlte er, daß er sich dieser Unruhe schämte. Er war gerade dabei, einzuschlummern, als ein Geraschel ihn wieder weckte. Sofort blickte er zum Bett Pawel Pawlowitschs hinüber. Das Zimmer war dunkel (die Vorhänge waren ganz geschlossen), aber ihm kam es vor, als liege Pawel Pawlowitsch nicht, sondern sitze aufgerichtet im Bett.

«Was gibt's?» rief Weltschaninoff.

«Ein Schatten», antwortete nach kurzer Zeit kaum vernehmbar Pawel Pawlowitsch.

«Was denn, was für ein Schatten?»

«Dort im anderen Zimmer, durch die Tür — ich glaubte einen Schatten zu sehen.»

«Wessen Schatten?» fragte nach kurzem Schweigen Weltschaninoff.

«Den von Natalja Wassiljewna.»

Weltschaninoff erhob sich und schaute selbst durch den Vorraum in das andere Zimmer, dessen Türe immer offenstand. Die Fenster in diesem Raum hatten keine Vorhänge, sondern nur Gardinen, darum war es dort viel heller.

«Nichts ist da, und Sie sind einfach betrunken. Legen Sie sich nieder!» sagte Weltschaninoff, legte sich selbst hin und wickelte sich in die Decke.

Pawel Pawlowitsch erwiderte kein Wort und gehorchte.

«Haben Sie früher nie einen Schatten gesehen?» fragte Weltschaninoff nach zehn Minuten ganz unerwartet.

«Einmal schien es mir, ich hätte einen gesehen», erwiderte Pawel Pawlowitsch zögernd und mit schwacher Stimme.

Dann trat wieder Schweigen ein.

Weltschaninoff hätte nicht mit Bestimmtheit sagen können, ob er geschlafen hatte oder nicht; es mußte schon etwa eine Stunde vergangen sein, als er sich plötzlich wieder umdrehte. Ob ihn erneut ein Geraschel geweckt hatte, auch das wußte er nicht, aber es kam ihm vor, als nähere sich ihm im undurchdringlichen Dunkel des Zimmers etwas Weißes, das ihn noch nicht erreicht hatte, aber schon in der Mitte des Zimmers stand. Er setzte sich im Bett auf und schaute angespannt in die Dunkelheit.

«Pawel Pawlowitsch, sind Sie's?» fragte er mit geschwächter Stimme.

Diese seine eigene Stimme, die plötzlich in der Stille und Finsternis erklang, erschien ihm sonderbar.

«Sind Sie's — Pawel Pawlowitsch?» wiederholte er lauter und sogar so laut, daß Pawel Pawlowitsch unbedingt hätte erwachen und ihm antworten müssen, wenn er noch geschlafen hätte.

Aber keine Antwort erfolgte; doch es kam ihm vor, als schöbe sich diese weiße und kaum unterscheidbare Figur noch näher an ihn heran. Und dann geschah etwas höchst Merkwürdiges: es war, als risse etwas in ihm, genau wie vorhin, und er brüllte aus Leibeskräften mit unbeherrschter, atemloser, wütender Stimme:

«Wenn Sie — Sie betrunkener Narr — sich erdreisten sollten — auch nur zu denken — daß Sie mich — einschüchtern könnten — dann werde ich mich zur Wand drehen, die Decke über die Ohren ziehen und mich die ganze Nacht kein einziges Mal mehr umschauen — um zu beweisen, wie ich so etwas einschätze — und wenn Sie die ganze Nacht bis zum Morgen hier stehen wollen — wie ein Narr — ich spucke drauf!»

Und er spie wutbebend in die Richtung, in der er Pawel Pawlowitsch vermutete, drehte sich zur Wand, zog die Decke über die Ohren, wie er angedroht hatte, und schien in dieser Lage zu erstarren, jedenfalls rührte er sich nicht mehr. Totenstille herrschte im Raum. Ob der Schatten sich ihm näherte oder an der gleichen Stelle verblieb, konnte er nicht feststellen, aber sein Herz pochte, pochte, pochte. Nicht weniger als fünf Minuten vergingen, dann ertönte plötzlich aus einer Entfernung von zwei Schritten die schwache, klägliche Stimme Pawel Pawlowitschs:

«Aleksej Iwanowitsch, ich bin nur aufgestanden, um den . . . (er nannte einen unentbehrlichen häuslichen Gegenstand) zu suchen, ich habe ihn dort bei mir nicht gefunden . . . Ich wollte ganz leise bei Ihnen unterm Bett nachsehen . . .»

«Warum haben Sie dann geschwiegen, als ich Sie anschrie?» fragte Weltschaninoff mit stockender Stimme, nachdem er einen Augenblick hatte verstreichen lassen.

«Ich erschrak . . . Sie schrien so laut, da bin ich erschrocken.»

«Dort in der Ecke, links bei der Tür, im Nachtschränkchen, zünden Sie sich eine Kerze an . . .»

«Ich werde auch ohne Kerze . . .» murmelte demütig Pawel Pawlowitsch und begab sich in die Ecke. «Sie müssen schon vergeben, Aleksej Iwanowitsch, daß ich Sie gestört habe . . . ich muß wohl ganz benommen gewesen sein . . .»

Aber Weltschaninoff antwortete nicht mehr. Er lag mit dem Gesicht zur Wand und blieb die ganze Nacht über so liegen, ohne sich auch nur ein einziges Mal umzudrehen. Ob es ihn gelüstete, das gegebene Wort zu halten und seine Verachtung zu bezeigen — er wußte es selbst nicht. Seine nervöse Gereiztheit steigerte sich nach und nach fast bis zum Wahnsinn, und er konnte lange nicht einschlafen. Als er am anderen Morgen gegen zehn Uhr erwachte, sprang er plötzlich hoch und setzte sich im Bett auf, als wäre er gestochen worden, — aber Pawel Pawlowitsch war nicht mehr im Zimmer. Nur das leere unaufgeräumte Bett stand da, er selbst hatte sich mit dem ersten Morgenstrahl davongemacht.

«Hab' ich's doch gewußt!» rief Weltschaninoff und schlug sich mit der flachen Hand vor die Stirn.

X. AUF DEM FRIEDHOF

Die Befürchtungen des Arztes bewahrheiteten sich, und Lisas Zustand wurde ernst, so ernst, wie Weltschaninoff und Claudia Petrowna es tags zuvor sich gar nicht hätten denken können. Weltschaninoff traf die Kranke am Morgen noch bei Bewußtsein an, obwohl sie vor Fieber nur so glühte. Er behauptete später, daß sie ihm zugelächelt und sogar ihr heißes Händchen entgegengestreckt habe. Ob das der Wahrheit entsprach oder ob er es sich unwillkürlich zum Trost ausgedacht hatte — es war keine Zeit mehr, dies festzustellen. Gegen Abend verlor sie das Bewußtsein und erlangte es während der ganzen Dauer der Krankheit nicht mehr. Am zehnten Tag nach ihrer Ankunft im Landhaus starb sie.

Das war eine leidvolle Zeit für Weltschaninoff. Die beiden Pogorjelzeffs hatten sogar Angst um ihn. Den größten Teil dieser schweren Zeit verlebte er bei ihnen. In den letzten Tagen von Lisas Krankheit pflegte er stundenlang ganz allein in einer Ecke zu sitzen und dachte offensichtlich überhaupt nichts. Claudia Petrowna machte den Versuch, ihn abzulenken, aber er antwortete nur wortkarg, und es kostete ihn sichtlich Mühe, sich mit ihr zu unterhalten. Claudia Petrowna hatte gar nicht erwartet, daß «alles solch einen Eindruck auf ihn machen werde». Am besten konnten ihn noch die Kinder zerstreuen. Manchmal lachte er sogar mit ihnen. Aber fast jede Stunde erhob er sich und ging auf Zehenspitzen hin, um die Kranke anzusehen. Manchmal schien ihm, sie erkenne ihn. Auf Genesung hoffte er, wie auch alle übrigen, nicht mehr, aber er entfernte sich kaum von dem Sterbezimmer und hielt sich gewöhnlich im Nebenraum auf.

Übrigens entwickelte er auch in diesen Tagen ein oder zwei Mal eine fieberhafte Tätigkeit: er erhob sich plötzlich, raste nach Petersburg zu den Ärzten, lud die berühmtesten ein und stellte ein Konzilium zusammen. Die zweite und letzte Beratung der Ärzte fand am Vorabend von Lisas Tod statt. Etwa drei Tage vorher sprach Claudia Petrowna eindringlich mit Weltschaninoff über die Notwendigkeit, diesen Herrn Trussozkij ausfindig zu machen: «Im Falle eines Unglücks wird man Lisa ohne ihn nicht einmal beisetzen können.» Weltschaninoff murmelte, er wolle ihm schreiben. Dann erklärte der alte Pogorjelzeff, daß er ihn durch die Polizei suchen lassen werde. Schließlich schrieb Weltschaninoff eine Benachrichtigung in zwei Zeilen nieder und brachte sie selbst in den Pokrowschen Gasthof. Pawel Pawlowitsch war seiner Gewohnheit gemäß nicht zu Hause, und er händigte den Brief Marja Ssyssojewna ein, damit sie ihn übergebe.

Und dann starb Lisa eines herrlichen Sommerabends, die Sonne ging gerade unter; und erst da schien Weltschaninoff wieder zu sich zu kommen. Als man der Toten das Sonntagskleidchen einer Tochter von Claudia Petrowna angezogen und sie im Saal mit Blumen in den gefalteten Händchen aufgebahrt hatte, ging er auf Claudia Petrowna zu und erklärte ihr funkelnden Auges, daß er sogleich den «Mörder» bringen werde. Ohne dem Rat, wenigstens bis morgen zu warten, Gehör zu schenken, begab er sich in die Stadt.

Er wußte, wo Pawel Pawlowitsch zu suchen war; er war nicht nur der Ärzte wegen nach Petersburg gefahren. Denn manchmal im Laufe dieser Tage schien ihm, die sterbende Lisa könnte wieder zu sich kommen, wenn er ihr den Vater brächte und sie seine Stimme hörte. Dann stürzte er voller Verzweiflung fort, um ihn zu suchen.

Pawel Pawlowitsch wohnte in dem gleichen möblierten Zimmer wie vorher; aber es war ganz zwecklos, dort nach ihm zu fragen. «Oftmals kehrt er drei Tage lang nicht heim, nicht einmal zum Schlafen», berichtete Marja Ssyssojewna, «und wenn er mal unverhofft betrunken nach Hause kommt, hält er sich keine Stunde hier auf und schleppt sich wieder fort. Er ist ganz außer Rand und Band geraten ...» Der Diener des Gasthofes hatte Weltschaninoff unter anderem mitgeteilt, daß Pawel Pawlowitsch auch schon früher am Wesnessenski-Prospekt irgendwelche Mädchen besuchte. Unverzüglich ging Weltschaninoff zu ihnen. Die Damen erinnerten sich gleich ihres spende- und schenkfreudigen Gastes, hauptsächlich aber seines trauerumflorten Hutes, und nahmen die Gelegenheit wahr, auf ihn zu schimpfen, weil er aufgehört hatte, zu ihnen zu kommen. Eine von ihnen, Katja, übernahm es sogleich, Pawel Pawlowitsch ausfindig zu machen, «denn er verläßt jetzt die Wohnung der Maschka Prostakowa nicht mehr, und Geld hat er, daß man den Boden seines Beutels gar nicht sehen kann, und diese Maschka hat schon im Krankenhaus gelegen, und wenn ich will, kann ich sie sofort nach Sibirien bringen, ich brauche nur ein einziges Wort zu sagen». Allerdings glückte es Katja dieses Mal nicht, Pawel Pawlowitsch aufzutreiben, aber sie versprach hoch und heilig, das nächste Mal werde es ihr gelingen. Auf ihre Mithilfe baute Weltschaninoff jetzt.

Gegen zehn Uhr in der Stadt angelangt, erinnerte er sich gleich an ihr Versprechen, zahlte, wem es zukam, für ihre Abwesenheit und begab sich mit ihr auf die Suche nach Pawel Pawlowitsch. Er wußte selbst noch nicht, was er mit ihm machen werde: wollte er ihn umbringen oder nur suchen, um ihm vom Tode seiner Tochter und seiner notwendigen Anwesenheit bei der Beerdigung Mitteilung zu machen...

Beim ersten Versuch hatten sie keinen Erfolg: es erwies sich, daß Maschka Prostakowa sich schon drei Tage zuvor mit Pawel Pawlowitsch überworfen hatte und daß irgendein Kassenbeamter «ihm mit einer Bank den Schädel eingeschlagen habe». Kurzum, man konnte ihn lange nicht auffinden, bis schließlich Weltschaninoff gegen zwei Uhr nachts beim Verlassen eines ihm gewiesenen Lokals selbst plötzlich und unerwartet mit ihm zusammenstieß.

Pawel Pawlowitsch wurde gerade in völlig betrunkenem Zustande von zwei Damen auf dieses Lokal zugeführt. Eine der Damen hatte ihn unter den Arm gefaßt und stützte ihn. Ihnen folgte ein großgewachsener und unternehmungslustiger Bursche, der aus voller Kehle Pawel Pawlowitsch mit irgendwelchen Grausamkeiten drohte. Unter anderem beteuerte er brüllend, daß jener ihn «ausgenutzt» und ihm «das Dasein vergiftet» habe. Es handelte sich anscheinend um Geld. Die Damen waren sehr eingeschüchtert und eilig. Als Pawel Pawlowitsch Weltschaninoff erblickte, stürzte er mit ausgestreckten Armen auf ihn zu und schrie wie am Spieß:

«Bruderherz, Retter, beschütze mich!»

Beim Anblick von Weltschaninoffs athletischer Figur verschwand der Bursche im Nu. Triumphierend und drohend reckte Pawel Pawlowitsch hinter ihm die Faust in die Luft und brüllte zum Zeichen seines Sieges. Da ergriff Weltschaninoff ihn an den Schultern und begann, ohne selbst zu wissen, weshalb, ihn mit beiden Händen hin und her zu schütteln, daß ihm die Zähne klapperten. Pawel Pawlowitsch schwieg augenblicklich und starrte mit stumpfem, besoffenem Schreckensausdruck auf seinen Peiniger. Weltschaninoff drückte ihn, wahrscheinlich weil er nicht mehr wußte, was mit ihm tun, zu Boden und setzte ihn auf einen Prellstein am Trottoir.

«Lisa ist gestorben!» sagte er.

Pawel Pawlowitsch saß, immer noch keinen Blick von ihm

abwendend, auf dem Prellstein, von einer der Damen gestützt. Schließlich begriff er, und sein Gesicht schien plötzlich einzufallen.

«Gestorben...» flüsterte er mit sonderbarem Tonfall. Ob er in seinem Rausch sein garstiges, breites Lächeln aufsetzte oder ob sonst etwas in seinem Gesicht zuckte — Weltschaninoff konnte es nicht unterscheiden, aber im nächsten Augenblick hob Pawel Pawlowitsch mühsam seine zitternde Rechte, um sich zu bekreuzigen. Das Kreuz kam aber nicht zustande, und die schlotternde Hand sank wieder herab. Ein wenig später erhob er sich langsam, griff nach seiner Dame und ging, auf sie gestützt, seines Weges, als gäbe es keinen Weltschaninoff weit und breit. Dieser aber packte ihn wieder an der Schulter: «Verstehst du denn nicht, du besoffenes Ungeheuer, daß man sie ohne dich nicht einmal beisetzen kann?» brüllte er wutschnaubend.

Jener wandte ihm das Gesicht zu.

«Der Artillerieleutnant... erinnern Sie sich?» lallte er mit schwerer Zunge.

«W-a-a-a-a-s?» heulte Weltschaninoff auf und fuhr schmerzlich zusammen.

«Da hast du den Vater! Such ihn... zur Beerdigung...»

«Du lügst!» brüllte Weltschaninoff wieder wie von Gott verlassen, «das tust du aus Wut... Wußte ich doch, daß du das für mich in Bereitschaft hattest!»

Seiner selbst nicht mehr mächtig, schwang er seine riesige Faust nach dem Kopf Pawel Pawlowitschs. Noch einen Augenblick — und er hätte ihn vielleicht mit einem Schlag getötet. Die Damen schrien auf und stoben auseinander, aber Pawel Pawlowitsch zuckte nicht einmal mit der Wimper. Eine Ekstase tierischer Wut entstellte sein Gesicht.

«Und kennst du», sagte er mit bedeutend festerer Stimme, fast wie ein Nüchterner, «unser russisches... (und er gab ein unaussprechliches Schimpfwort von sich) — nun, pack dich zu ihr!»

Dann riß er sich mit Gewalt aus Weltschaninoffs Händen los, trat einen Schritt zurück und fiel beinahe hin. Die Damen fingen ihn auf und liefen schreiend davon, während sie Pawel Pawlowitsch hinter sich herzerrten. Weltschaninoff verfolgte sie nicht.

Am nächsten Tage um ein Uhr mittags erschien im Landhaus von Pogorjelzeffs ein durchaus ordentlich aussehender Beamter mittleren Alters in Uniform und überreichte höflich Claudia Petrowna ein auf ihren Namen lautendes Paket von Pawel Pawlowitsch Trussozkij. Dieses Paket enthielt einen Brief, dreihundert Rubel und die zur Bestattung notwendigen Papiere. Pawel Pawlowitsch schrieb überaus ehrerbietig und durchaus taktvoll. Er dankte Ihrer Exzellenz Claudia Petrowna für ihre wohltätige Teilnahme am Geschick der armen Waise, wofür Gott allein ihr lohnen könne. Er erwähnte unklar, daß äußerste Unpäßlichkeit es ihm unmöglich mache, persönlich die Bestattung seiner zärtlich geliebten und unglücklichen Tochter in die Hand zu nehmen, und daß er alle Hoffnung auf die engelsgleiche Seelengüte Ihrer Exzellenz setze. Die dreihundert Rubel — wie er weiter im Briefe erklärte — seien für die Bestattungskosten und überhaupt für die durch die Krankheit entstandenen Ausgaben. Sollte von dieser Summe etwas übrigbleiben, so bitte er ergebenst und gehorsamst, dieses Geld zu Totenmessen für das Seelenheil der verstorbenen Lisa zu verwenden. Der Beamte, der diesen Brief brachte, konnte nichts Näheres sagen. Es erwies sich sogar aus einigen seiner Worte, daß er nur auf dringendes Bitten Pawel Pawlowitschs es übernommen hatte, den Brief persönlich Ihrer Exzellenz zu überbringen. Pogorjelzeff war durch den Ausdruck von «den durch die Krankheit entstandenen Ausgaben» beinahe verletzt und bestimmte fünfzig Rubel zur Deckung der Bestattungskosten — denn man könne ja einem Vater nicht verwehren, sein Kind zu bestatten —, die restlichen zweihundertfünfzig Rubel aber sollten unverzüglich an Herrn Trussozkij zurückgehen. Claudia Petrowna aber beschloß endgültig, ihm nicht zweihundertfünfzig Rubel, sondern eine Quittung der Friedhofskirche über den Empfang des Geldes zuzusenden, mit der Bestätigung, daß diese Summe zu Totenmessen für das ewige Heil der dahingegangenen Jungfrau Elisaweta verwendet werde. Diese Quittung wurde Weltschaninoff zur sofortigen Aushändigung an Herrn Trussozkij übergeben. Er schickte sie per Post in den Gasthof.

Nach der Beerdigung verschwand er aus dem Landhaus. Volle zwei Wochen irrte er durch die Stadt, ohne jegliches Ziel, allein, einsam. Oft stieß er in seiner Versunkenheit mit anderen Menschen zusammen. Manchmal verbrachte er ganze Tage auf seinem Diwan liegend und vergaß die alltäglichsten Dinge. Pogorjelzeffs ließen ihn oft zu sich bitten. Er versprach zu kommen und vergaß es gleich darauf wieder. Claudia Petrowna erschien sogar selbst einmal, um nach ihm zu schauen, traf ihn aber nicht zu Hause an. Das gleiche widerfuhr auch seinem Anwalt. Dieser hatte ihm etwas mitzuteilen: Der Rechtsstreit war von ihm sehr geschickt beigelegt worden, die Gegner erklärten sich jetzt zu einem gütlichen Vergleich bereit, vorausgesetzt, daß man sie mit einem unbedeutenden Bruchteil der von ihnen angefochtenen Erbschaft abfinde. Als der Anwalt ihn endlich einmal in seiner Wohnung antraf, war er höchst erstaunt, mit welcher Interesselosigkeit und Gleichgültigkeit sein noch vor kurzem so unruhiger Klient ihn anhörte.

Die heißesten Julitage kamen nun, aber Weltschaninoff hatte die Zeit vergessen. Das Leid häufte sich in seiner Seele, daß es drohte aufzubrechen wie ein Geschwür, und war ihm in einem qualvoll bewußten Gedanken immer gegenwärtig. Am meisten schmerzte ihn, daß Lisa gestorben war, ohne ihn kennengelernt, ohne erfahren zu haben, wie glühend er sie liebte! *Der* Sinn seines Lebens, der plötzlich in so freudigem Licht vor ihm aufgestrahlt war, versank wieder in ewige Finsternis. Dieser Sinn hätte darin bestanden — so dachte er alle Augenblicke —, Lisa jeden Tag, jede Stunde unaufhörlich seine Liebe zu ihr spüren zu lassen. «Ein höheres Ziel gibt es für keinen Menschen und kann es auch nicht geben!» dachte er manchmal in düsterer Verzückung. «Es gibt wohl andere Lebenszwecke, aber keiner ist heiliger!» Durch die Liebe zu Lisa, träumte er, wäre sein ganzes bisheriges, nutzlos und lasterhaft verbrachtes Leben geläutert worden. «Statt meiner, der ich nichtsnutzig, verderbt und abgelebt bin, hätte ich ein reines und herrliches Geschöpf für das Leben vorbereitet. Um dieses Geschöpfes willen wäre mir alles vergeben worden, und auch ich selbst hätte mir alles vergeben.»

Immer wieder stieg vor ihm das seine Seele erschütternde Bild des verstorbenen Kindes auf. Er vergegenwärtigte sich Lisas blasses Gesichtchen, jeden Ausdruck in ihren Zügen; sah sie blumengeschmückt im Sarg liegen oder bewußtlos, fieberglühend, mit offenen, starren Augen. Auch fiel ihm ein, daß er, als sie schon aufgebahrt war, an ihr einen weiß Gott aus welchem Grunde während der Krankheit schwarz gewordenen Finger bemerkte. Das erschütterte ihn damals so tief, solches Mitleid empfand er mit diesem armen Fingerchen, daß er sofort Pawel Pawlowitsch ausfindig machen und ihn erschlagen wollte. Bis zu diesem Augenblick war er «wie empfindungslos» gewesen. Ob es gekränkter Stolz war, der dieses Kinderherz zu Tode gequält hatte? Ob es die drei Monate der Martern waren, die sie zu erleiden gehabt hatte, als ihr Vater seine Liebe plötzlich in Haß verkehrte und sie mit seinen Schmähungen verwundete, über ihr Entsetzen noch dazu lachte und sie dann schließlich wegstieß und fremden Leuten überantwortete? All das stellte er sich immer wieder vor und wandelte es auf tausend verschiedene Arten ab. «Wissen Sie denn, was Lisa für mich bedeutet hat?» Dieser Ausruf Trussozkijs kam ihm plötzlich in den Sinn, und er fühlte, hier sprach keine Verstellung, sondern wahre, echte Liebe. «Wie konnte dieses Ungeheuer so grausam sein zu einem Kinde, das er liebte? Ist denn das möglich?» Aber jedesmal beeilte er sich, diese Frage zu verdrängen, denn etwas Entsetzliches enthielt sie für ihn, etwas Unfaßliches und kaum Ertragbares.

Eines Tages gelangte er bei einer seiner zahllosen Wande-
rungen, ohne zu merken wie, zum Friedhof, auf dem Lisa be-
graben lag, und er suchte ihr Grab auf. Kein einziges Mal seit
der Beerdigung war er auf dem Friedhof gewesen. Er hatte
geglaubt, die Qual nicht ertragen zu können, und wagte nicht
hinzugehen. Aber merkwürdigerweise wurde ihm, als er sich
hinunterbeugte und das kleine Grab küßte, leichter zu Mute.
Es war ein klarer Abend, die Sonne ging gerade unter, rings
um die Gräber wuchs saftiges, grünes Gras, unweit summte
eine Biene in einem wilden Rosenbusch. Die Blumen und Krän-
ze, die Claudia Petrowna und die Kinder auf das Grab gelegt
hatten, waren halb verdorrt. Der Hauch einer Hoffnung er-
quickte nach langer Zeit zum ersten Mal wieder sein Herz.
«Wie leicht!» dachte er, spürte die Stille des Friedhofs und
schaute in den klaren, ruhigen Himmel.
Seine Seele füllte sich mit dem Anstrom eines reinen, unge-
trübten Glaubens.
«Das sendet Lisa, sie spricht zu mir», dachte er.
Die Dämmerung hatte sich schon herabgesenkt, als er vom
Friedhof nach Hause ging. Unweit vom Eingangstor befand sich
ein kleines, hölzernes Häuschen an der Straße, so etwas wie
eine Kneipe oder ein Ausschank. Durch die offenen Fenster
sah man die Gäste, die um die Tische saßen. Plötzlich schien
es ihm, als sei einer von ihnen Pawel Pawlowitsch und als
sehe er ihn ebenfalls und beobachte ihn neugierig. Er ging
weiter und hörte bald, daß jemand ihn einzuholen suchte. In
der Tat war es Pawel Pawlowitsch, der hinter ihm herlief.
Wahrscheinlich hatte der versöhnliche Ausdruck in Weltschaninoffs Gesicht ihn ermutigt und angezogen. Als er ihn eingeholt hatte, lächelte er ihm schüchtern zu, aber nicht mit seinem früheren betrunkenen Lächeln. Er war überhaupt nicht
betrunken.
«Guten Tag», sagte er.
«Guten Tag», antwortete Weltschaninoff.

XI. PAWEL PAWLOWITSCH WILL HEIRATEN

Als er dieses «Guten Tag» gesagt hatte, wunderte er sich selbst darüber. Es kam ihm sehr merkwürdig vor, daß er diesem Menschen jetzt ohne jede Wut begegnete und in seinen Gefühlen zu ihm etwas ganz anderes vorherrschte, etwas ganz Neues.

«Welch ein angenehmer Abend», begann Pawel Pawlowitsch und schaute ihm in die Augen.

«Sie sind noch immer nicht abgereist?» fragte Weltschaninoff, als stelle er gar keine Frage, sondern denke laut vor sich hin, und setzte seinen Weg fort.

«Die Sache hatte sich verzögert, aber — den Posten habe ich bekommen, mit Gehaltsaufbesserung und Rangerhöhung. Übermorgen reise ich bestimmt ab.»

«Sie haben den Posten bekommen?» fragte Weltschaninoff nun interessiert.

«Warum denn nicht?» entgegnete Pawel Pawlowitsch mit scheelem Lächeln.

«Ich meinte nur . . .» sagte, sich fast entschuldigend, Weltschaninoff, runzelte die Stirn und warf einen Seitenblick auf Pawel Pawlowitsch.

Zu seinem Erstaunen war die Kleidung, der Hut mit dem Trauerflor und das ganze Aussehen Herrn Trussozkijs unvergleichlich viel anständiger als vor zwei Wochen.

«Warum saß er nur in der Schenke?» dachte er immer wieder.

«Ich hatte die Absicht, Ihnen auch noch von meinem anderen Glück zu erzählen, Aleksej Iwanowitsch», begann Pawel Pawlowitsch wieder.

«Glück?»

«Ich heirate.»

«Wie bitte?»

«Nach dem Regen kommt Sonnenschein, so ist es immer im Leben. Ich würde es mir sehr wünschen, Aleksej Iwanowitsch — aber ich weiß nicht recht, Sie sind jetzt in Eile, Sie sehen so aus . . .»

Plötzlich hatte Weltschaninoff das dringende Verlangen, sich dieses Menschen zu entledigen. Seine Bereitschaft zu einem neuen Gefühl war im Nu verschwunden.

«Ja, ich bin eilig . . . Ich fühle mich auch nicht ganz wohl.»

«Ich würde es mir aber sehr wünschen . . .»

Pawel Pawlowitsch sagte nicht, was er sich so sehr wünschte, und Weltschaninoff schwieg sich aus.

«Nun, dann vielleicht später, wenn wir uns noch einmal begegnen sollten . . .»

«Ja, ja, später», murmelte Weltschaninoff hastig und setzte seinen Weg fort, ohne ihn anzuschauen.

Sie schwiegen etwa eine Minute lang. Pawel Pawlowitsch lief noch immer neben ihm her.

«Nun, dann auf Wiedersehen», brachte er schließlich hervor.

«Auf Wiedersehen, ich wünsche Ihnen . . .»

Weltschaninoff kam wieder ganz mißgestimmt zu Hause an. Einer Begegnung mit «diesem Menschen» war er eben nicht gewachsen. Als er sich zu Bett legte, fragte er sich wieder: «Warum war er am Friedhof?»

Am nächsten Morgen faßte er, wenn auch sehr widerstrebend, den Entschluß, zu Pogorjelzeffs zu fahren. Zwar war ihm jede Teilnahme, selbst die der Pogorjelzeffs, jetzt schwer erträglich. Aber sie hatten seinetwegen so viel Sorge gezeigt, daß er unbedingt hinausfahren mußte. Ihm kam es vor, als müßte er sich aus irgendeinem Grunde sehr schämen, wenn er sie jetzt wiedersähe.

«Soll ich fahren oder soll ich nicht fahren?» dachte er.

Er beeilte sich, sein Frühstück zu beenden, als plötzlich, zu seinem größten Erstaunen, Pawel Pawlowitsch eintrat.

Trotz der gestrigen Begegnung wäre Weltschaninoff nicht auf den Gedanken gekommen, dieser Mensch könnte jemals wieder bei ihm erscheinen, und er war derart betroffen, daß er ihn nur sprachlos anstarrte. Aber Pawel Pawlowitsch ließ sich nicht aus der Fassung bringen. Er grüßte und setzte sich in den gleichen Sessel, in dem er vor drei Wochen bei seinem letzten Besuch Platz genommen hatte. Dieses letzten Besuches erinnerte sich Weltschaninoff jetzt besonders lebhaft. Voller Unruhe und Ekel schaute er seinen Gast an.

«Sie wundern sich?» begann Pawel Pawlowitsch, der den Blick Weltschaninoffs erraten hatte.

Im ganzen erschien er viel ungezwungener als gestern, und gleichzeitig schimmerte auch durch, daß er viel schüchterner war. Sein Äußeres fiel heute noch mehr auf. Herr Trussozkij war nicht nur anständig, er war sogar stutzerhaft gekleidet: er trug einen leichten Sommerrock, helle, eng anliegende Hosen und eine helle Weste. Die Handschuhe, ein goldenes Lorgnon, das aus unersichtlichen Gründen plötzlich in Erscheinung trat, die Wäsche — alles war tadellos, und zu alledem strömte noch ein leiser Wohlgeruch von ihm aus. Seine ganze Erscheinung hatte etwas Lächerliches und brachte einen auf einen sonderbaren und unangenehmen Gedanken.

«Ich habe Sie, Aleksej Iwanowitsch», begann er leise, als krümme er sich vor Befangenheit, «natürlich durch meinen Besuch in Erstaunen versetzt, — ich fühle es. Aber in jeder menschlichen Beziehung bewahrt sich immer — das muß meiner Meinung nach so sein — etwas Höheres, nicht wahr? Das heißt, etwas Höheres, das über allen äußeren Verhältnissen steht, sogar über allen Unannehmlichkeiten, die mitunter entstehen können . . . nicht wahr?»

«Pawel Pawlowitsch, sagen Sie alles schneller und ohne Umschweife», erwiderte Weltschaninoff und runzelte die Stirn.

«Kurz gesagt», beeilte sich Pawel Pawlowitsch, «ich heirate und begebe mich jetzt zu meiner Braut, jetzt gleich. Die Familie wohnt zur Zeit in ihrem Landhaus. Ich möchte der hohen Ehre teilhaftig werden, Sie in diesem Hause einzuführen, und bin mit der ungewöhnlichen Bitte zu Ihnen gekommen (Pawel

Pawlowitsch senkte ergeben den Kopf), mich dorthin zu begleiten...»

«Wohin begleiten?» Weltschaninoff sah ihn mit glotzenden Augen an.

«Dorthin, das heißt ins Landhaus. Entschuldigen Sie, ich rede wie im Fieber, vielleicht habe ich etwas durcheinandergebracht, aber ich fürchtete so sehr, Sie könnten ablehnen.»

Und er blickte Weltschaninoff weinerlich-flehentlich an.

«Sie wollen, daß ich jetzt mit Ihnen zu Ihrer Braut fahre?» fragte Weltschaninoff, während er ihn, als traue er seinen Augen und Ohren nicht, mit schnellem Blicke maß.

«Jawohl», sagte Pawel Pawlowitsch plötzlich ganz verschüchtert. «Seien Sie nicht böse, Aleksej Iwanowitsch, es ist keine Frechheit meinerseits. Ich äußere nur untertänigst diese außergewöhnliche Bitte. Ich hoffe, daß Sie mir in diesem Falle vielleicht doch nicht absagen werden...»

«Erstens ist das vollkommen unmöglich –» begann Weltschaninoff und bewegte sich unruhig auf seinem Stuhl.

«Es ist nur ein außerordentlicher Wunsch von mir und nichts anderes», fuhr jener fort zu flehen, «ich will nicht verbergen, daß es auch noch einen Grund gibt. Aber diesen Grund möchte ich erst hinterher eröffnen, jetzt jedoch bitte ich ganz untertänigst...»

Und er erhob sich vor lauter Ehrerbietung sogar vom Stuhl.

«Aber das ist ganz und gar unmöglich, geben Sie doch selbst zu...»

Auch Weltschaninoff stand auf.

«Es ist sehr gut möglich, Aleksej Iwanowitsch, ich hatte dabei im Sinn, Sie als einen Freund einzuführen, und außerdem sind Sie ja selbst dort schon bekannt. Wir fahren doch zu Sachlebinins auf ihr Sommerhaus, zum Staatsrat Sachlebinin.»

«Was?» rief Weltschaninoff betroffen.

Es war eben jener Staatsrat, den er vor einem Monat immer anzutreffen gesucht hatte und nie zu Hause fand und der, wie es schien, in seinem Prozeß die Gegenpartei vertrat.

«Nun ja, nun ja», sagte Pawel Pawlowitsch lächelnd und wurde durch Weltschaninoffs übermäßiges Staunen sichtlich ermuntert. «Eben der! Erinnern Sie sich noch, wie Sie mit ihm gingen und sprachen und ich auf dem gegenüberliegenden Trottoir stand und Sie anschaute? Ich wartete damals, bis Sie fertig wären, denn ich wollte danach auf ihn zugehen. Vor etwa zwanzig Jahren haben wir sogar zusammen Dienst getan. Aber als ich nach Ihnen auf ihn zugehen wollte, da hatte ich noch gar nicht diesen Gedanken. Der ist mir erst jetzt plötzlich gekommen, vor etwa einer Woche.»

«Aber hören Sie, das scheint doch eine sehr angesehene Familie zu sein?» meinte Weltschaninoff in naivem Erstaunen.

«Ja, was ist denn dabei, daß sie angesehen ist?» fragte Pawel Pawlowitsch mit scheelem Lächeln.

«Nein, selbstredend ... Ich meinte das nicht so ... Aber soviel ich bei meinem Dortsein bemerken konnte ...»

«Sie erinnern sich, Sie erinnern sich, wie Sie dort waren», nahm Pawel Pawlowitsch das Stichwort freudig auf, «nur konnten Sie damals die Familie nicht kennenlernen. Aber Sachlebinin selbst erinnert sich sehr genau und hat eine gewisse Verehrung für Sie. Ich habe von Ihnen mit der größten Hochachtung gesprochen.»

«Aber hören Sie, Sie sind doch erst seit drei Monaten Witwer!»

«Die Hochzeit muß ja nicht gleich stattfinden. In neun oder zehn Monaten wird sie sein, so daß dann genau ein volles Trauerjahr verflossen ist. Glauben Sie mir, alles ist in bester Ordnung. Erstens kennt Fedossej Petrowitsch mich schon seit meiner Kindheit, kannte auch meine verstorbene Frau, weiß, wie ich lebte und welchen Ruf ich habe, und nicht zuletzt besitze ich auch Vermögen, dazu bekomme ich jetzt einen höheren Posten, — alles das fällt ins Gewicht.»

«Handelt es sich um seine Tochter?»

«Ich will Ihnen alles genau erzählen.» Pawel Pawlowitsch kauerte sich angenehm berührt zusammen. «Erlauben Sie nur, daß ich mir eine Zigarette anzünde. Sie werden ja selbst heute sehen. Solche geschäftstüchtigen Männer wie Fedossej Petrowitsch werden an ihrem Posten hier in Petersburg oft sehr geschätzt, wenn es ihnen gelingt, die Aufmerksamkeit auf sich zu lenken. Aber außer dem Gehalt, den Gratifikationen, zusätzlichen Geldern und gewissen Zuschüssen ist da nichts, das heißt: nichts, was einen Grundstock bilden könnte für ein Kapital. Sie leben gut, aber etwas auf die Seite zu legen ist ganz unmöglich bei dieser großen Familie! Überlegen Sie selbst: Fedossej Petrowitsch hat einen noch minderjährigen Sohn und acht Töchter. Wenn er jetzt stirbt — bleibt doch nur eine dürftige Pension! Und da sind acht unverheiratete Mädchen, nein, bedenken Sie das nur! Bedenken Sie das doch nur! Allein Schuhe für sie alle zu kaufen, was das kostet! Von diesen acht Mädchen sind fünf bereits heiratsfähig. Die älteste ist vierundzwanzig Jahre alt (ein entzückendes Mädchen, Sie werden sie selbst sehen!), und die sechste, die fünfzehnjährige, geht noch ins Gymnasium. Für alle fünf sollen nun Männer gefunden werden, und zwar so schnell wie möglich, folglich muß der Vater sie in die Gesellschaft einführen, — bedenken Sie doch nur, was das alles kostet! Und da erscheine ich plötzlich als erster Freier in ihrem Hause und bin ihnen noch dazu längst bekannt, das heißt, insofern als sie wissen, daß ich Vermögen besitze. Nun, das ist alles.»

Pawel Pawlowitsch gab diese Erklärung mit großem Genuß.

«Sie haben um die Älteste angehalten?»

«N-n-nein, ich habe nicht um die — Älteste ... ich habe um die sechste angehalten, die noch im Gymnasium studiert.»

«Wie?» fragte Weltschaninoff und lächelte unwillkürlich, «Sie sagen doch, sie sei erst fünfzehn Jahre alt?»

«Jetzt erst fünfzehn, aber in neun Monaten wird sie sechzehn sein, sechzehn Jahre und drei Monate, warum also nicht? Aber da es im Augenblick gegen den Anstand wäre, so wird davon nichts verlautbart, nur mit den Eltern ... Glauben Sie mir, alles ist in Ordnung!»

«Folglich ist es noch nicht beschlossen?»

«Doch, doch, es ist beschlossen! Glauben Sie mir, alles ist in bester Ordnung!»

«Und sie, weiß sie davon?»

«Nun, um den Schein des Anstandes zu wahren, gibt man vor, ihr noch nichts gesagt zu haben, aber wie sollte sie es denn nicht wissen?» Pawel Pawlowitsch zwinkerte selbstgefällig. «Nun, Aleksej Iwanowitsch, wollen Sie mich beglücken?» fragte er abschließend mit ungewöhnlicher Schüchternheit.

«Aber warum soll ich denn dorthin? Übrigens», fügte Weltschaninoff hinzu, «da ich auf keinen Fall mitkommen werde, brauchen Sie mir auch keine weiteren Gründe anzuführen.»

«Aleksej Iwanowitsch . . .»

«Ja, glauben Sie denn, ich setze mich neben Sie und fahre mit Ihnen, überlegen Sie doch!»

Die angeekelte und feindselige Empfindung war wiedergekehrt, nachdem sie sich einen Augenblick lang von Pawel Pawlowitschs Geplapper über seine Braut hatte verdrängen lassen. Noch eine Minute, und es fehlte nicht viel, er hätte ihn hinausgeworfen. Aus irgendeinem Grunde war Weltschaninoff über sich selbst wütend.

«Setzen Sie sich, Aleksej Iwanowitsch, setzen Sie sich neben mich, und Sie werden es nicht bereuen!» flehte Pawel Pawlowitsch mit einer Stimme, die von tiefer Überzeugung durchdrungen war. «Nein, nein, nein», er fuchtelte abwehrend mit den Händen durch die Luft, als er eine ungeduldige und entschlossene Geste Weltschaninoffs gewahrte, «Aleksej Iwanowitsch, Aleksej Iwanowitsch, warten Sie noch mit Ihrem Entschluß! Ich sehe, daß Sie mich falsch verstanden haben: ich weiß nur zu gut, daß wir keine Freunde sein können, wir sind keine Kameraden. Ich bin ja nicht so beschränkt, das nicht einzusehen. Und der Dienst, um den ich Sie jetzt bitte, wird Sie in der Folge zu nichts verpflichten. Zudem verreise ich ja übermorgen auf immer. Dann ist es für Sie, als wäre nichts gewesen. Lassen Sie diesen Tag eine Episode in Ihrem Leben sein. Als ich zu Ihnen ging, stützte ich meine Hoffnung auf den besonderen Edelmut Ihres Herzens, Aleksej Iwanowitsch, auf eben jene Gefühle, die in letzter Zeit in Ihrem Herzen hätten geweckt werden können ... Ich drücke mich doch verständlich aus, scheint mir, oder noch immer nicht?»

Pawel Pawlowitschs Aufregung steigerte sich bis zum Übermaß. Weltschaninoff schaute ihn befremdet an.

«Sie bitten mich um einen Dienst?» fragte er nachdenklich, «und Sie bestehen so hartnäckig darauf, — das ist mir verdächtig, ich will mehr wissen.»

«Der Dienst, um den ich Sie bitte, besteht nur darin, mich dorthin zu begleiten. Danach, wenn wir zurückkommen, will ich alles vor Ihnen ausbreiten wie in der Beichte. Aleksej Iwanowitsch, schenken Sie mir Vertrauen!»

Aber Weltschaninoff weigerte sich immer noch, und um so halsstarriger, je mehr er einen drückenden, boshaften Gedanken Gestalt annehmen fühlte. Dieser boshafte Gedanke hatte sich längst in ihm zu rühren begonnen, schon seit dem Augenblick, da Pawel Pawlowitsch ihm von seiner Braut berichtete; ob es nun gewöhnliche Neugier war oder irgendeine noch völlig unklare Verlockung, aber es zog ihn gewissermaßen dorthin. Und je mehr es ihn hinzog, um so mehr wehrte er sich dagegen. Er saß da, den Kopf in die Hand gestützt, und überlegte. Pawel Pawlowitsch scharwenzelte um ihn herum und flehte ihn an.

«Gut, ich komme mit», erklärte Weltschaninoff plötzlich und erhob sich unruhig und fast beängstigt von seinem Platz.

Pawel Pawlowitsch freute sich über alle Maßen.

«Jetzt müssen Sie sich nur entsprechend anziehen, Aleksej Iwanowitsch», rief er und sprang freudig um Weltschaninoff herum, der sich umzukleiden begann, «besser anziehen, so wie nur Sie es verstehen!»

«Warum drängt er sich nur so auf, dieser sonderbare Mensch», dachte Weltschaninoff.

«Ich erwarte von Ihnen aber nicht allein diesen Dienst, Aleksej

Iwanowitsch. Wenn Sie sich schon einverstanden erklärt haben mitzukommen, dann seien Sie auch mein Berater.»

«Zum Beispiel?»

«Zum Beispiel ist eine wichtige Frage: der Trauerflor. Was ist angebrachter: ihn abzunehmen oder ihn zu tragen?»

«Wie Sie wollen.»

«Nein, ich will Ihren Ratschlag hören. Wie würden Sie selbst handeln, das heißt, wenn Sie einen Trauerflor hätten? Mein Gedanke war, daß es auf die Beständigkeit der Gefühle hinweist, wenn man ihn trägt, und folglich eine gute Empfehlung ist.»

«Selbstverständlich nehmen Sie ihn ab.»

«Versteht sich das wirklich von selbst?» Pawel Pawlowitsch versank in Nachdenken. «Nein, ich möchte ihn doch lieber dranlassen . . .»

«Wie Sie wollen.» — «Er traut mir nicht über den Weg, das ist gut», dachte Weltschaninoff.

Sie traten auf die Straße. Pawel Pawlowitsch betrachtete Weltschaninoff, der sich elegant angezogen hatte, und in seinem Gesicht spiegelte sich erhöhte Achtung und sogar ein gewisser Stolz. Weltschaninoff wunderte sich über ihn, aber noch mehr über sich selbst. Vor dem Tor stand eine Kutsche, die sie erwartete.

«Ah, Sie haben sogar schon an eine Kutsche gedacht? Demnach waren Sie überzeugt, daß ich mitfahre?»

«Die Kutsche habe ich für mich genommen, aber ich war beinahe überzeugt, daß Sie sich einverstanden erklären würden mitzufahren», erwiderte Pawel Pawlowitsch mit dem Ausdruck eines vollkommen glücklichen Menschen.

«Ei, Pawel Pawlowitsch», lachte Weltschaninoff gereizt, als sie sich schon gesetzt hatten und die Pferde anzogen, «sind Sie meiner nicht allzu sicher?»

«Nicht Ihnen, Aleksej Iwanowitsch, nicht Ihnen steht es zu, mich deswegen einen Narren zu nennen», antwortete mit bestimmter und überzeugter Stimme Pawel Pawlowitsch.

«Und Lisa?» dachte Weltschaninoff, ließ aber diesen Gedanken gleich fallen, als müsse er Angst haben, da etwas zu entweihen. Und plötzlich kam er sich selbst so klein vor, so nichtig in diesem Augenblick, der Gedanke, von dem er sich hatte verführen lassen, so erbärmlich, so kleinlich — und um jeden Preis wollte er alles fahren lassen und sofort aus der Kutsche springen, auch wenn er gezwungen wäre, zu diesem Zweck Pawel Pawlowitsch zu verprügeln. Aber da fing dieser von neuem zu sprechen an, und die Verführung nahm wieder Besitz von Weltschaninoffs Herzen.

«Aleksej Iwanowitsch, verstehen Sie etwas von Wertsachen?»

«Von welchen Wertsachen?»

«Von Brillantschmuck.»

«Ja, davon verstehe ich etwas.»

«Ich möchte ein kleines Geschenk mitbringen. Raten Sie mir, soll ich oder soll ich nicht?»

«Meiner Meinung nach — besser nicht ...»

«Aber ich möchte es doch so sehr gerne tun», und Pawel Pawlowitsch wurde unruhig auf seinem Sitz, «aber was soll man nur kaufen? Eine ganze Garnitur, Brosche, Ohrringe und Armband, oder nur eines davon?»

«Wieviel wollen Sie ausgeben?»

«Nun — etwa vier- bis fünfhundert Rubel.»

«Oh!»

«Ist es vielleicht zu viel?» schrak Pawel Pawlowitsch auf.

«Kaufen Sie ein Armband für hundert Rubel.»

Pawel Pawlowitsch war etwas betrübt. Er hatte den unwiderstehlichen Wunsch, so viel wie möglich auszugeben und eine «ganze Garnitur» zu kaufen. Er bestand darauf. Sie hielten vor einem Juweliergeschäft. Schließlich endete es damit, daß sie nur ein Armband erstanden, und auch nicht einmal dasjenige, das Pawel Pawlowitsch ins Auge stach, sondern eines, zu dem Weltschaninoff riet. Pawel Pawlowitsch wollte beide nehmen. Als der Juwelier, der für das Armband hundertfünfundsiebzig Rubel verlangt hatte, es für hundertfünfzig gab, wurde er sogar ärgerlich. Er hätte mit dem größten Vergnügen auch zweihundert bezahlt, wenn sie gefordert worden wären, so sehr wünschte er, es möglichst teuer zu erwerben.

«Macht gar nichts, daß ich mit Geschenken so voreilig bin», plauderte er verzückt, «dort ist es nicht wie in der großen Welt, dort geht es schlicht und einfach zu. Die jugendliche Unschuld liebt Geschenke», fügte er listig und zufrieden lächelnd hinzu. «Sie haben zum Beispiel vorhin darüber zu lächeln geruht, daß sie erst fünfzehn ist, Aleksej Iwanowitsch. Aber eben das hat mich so gereizt, eben daß sie noch zur Schule geht, mit ihrer Mappe, in der ihre Heftchen und Federchen sind, he-he! Dieses Schulmädchen hat es mir angetan. Ich bin für die Unschuld, Aleksej Iwanowitsch! Mir geht es weniger um die Schönheit des Gesichts als eben darum! Sie kichert mit ihren Schulfreundinnen in der Ecke, und wie sie lachen, mein Gott! Und warum lachen sie? Nur darum, weil das Kätzchen von der Kommode aufs Bett gesprungen ist und sich dort zum Knäuel zusammengerollt hat... Das duftet doch geradezu nach frischen Äpfeln! — Soll ich am Ende doch den Trauerflor abnehmen?»

«Wie Sie wollen.»

«Ich werde ihn abnehmen!»

Er zog seinen Hut vom Kopf, riß den Trauerflor herunter und warf ihn auf die Straße. Weltschaninoff sah, wie sein Gesicht in leuchtender Hoffnung erstrahlte, als er den Hut wieder auf den kahlen Schädel setzte.

«Sollte er in der Tat so sein?» dachte er mit wirklicher Wut, «sollte denn nichts dahinter stecken, daß er mich eingeladen hat mitzukommen? Vertraut er tatsächlich auf meinen Edelmut?» fuhr er fort zu denken und fühlte sich von der letzten Vermutung fast beleidigt. «Was ist er denn — ein Narr, ein Dummkopf oder ein ‹ewiger Gatte›? Die ganze Sache ist einfach unmöglich...!»

XII. BEI SACHLEBININS

Die Sachlebinins waren in der Tat eine sehr «angesehene Familie», wie Weltschaninoff sich ausgedrückt hatte, und Sachlebinin selbst kannte man als überaus soliden, gut angeschriebenen Beamten. Auch entsprach alles den Tatsachen, was Pawel Pawlowitsch von ihren Einkünften erzählt hatte: «Sie leben anscheinend gut, aber er braucht nur zu sterben, und nichts bleibt übrig.»

Der alte Sachlebinin empfing Weltschaninoff auf die herzlichste und freundschaftlichste Weise, und aus dem früheren «Feinde» wurde ein vollkommener Freund.

«Ich gratuliere Ihnen, so ist es ja viel besser», begann er gleich von dem Prozeß zu sprechen und nahm eine angenehme und würdevolle Haltung an, «ich bestand selbst darauf, zu einem Vergleich zu schreiten, und Pjotr Karlowitsch (Weltschaninoffs Anwalt) ist in dieser Beziehung ein goldener Mensch. Nun? Jetzt bekommen Sie wohl Ihre sechzigtausend, und noch dazu ohne Scherereien, ohne Verzögerung, ohne Streit! Und anders hätte die Sache sich über Jahre hinziehen können!»

Weltschaninoff wurde sogleich Madame Sachlebinin vorgestellt, einer stark in die Breite gegangenen, nicht mehr jungen Dame mit etwas gewöhnlichem, müdem Gesicht. Langsam strömten auch die Mädchen herbei, eine nach der anderen oder auch paarweise. Es waren ihrer wirklich sehr viele. Nach und nach kam man auf zehn oder vierzehn, — Weltschaninoff konnte schon gar nicht mehr zählen. Das Sommerhaus von Sachlebinins — ein großes Holzgebäude mit Anbau in einem unbekannten und höchst eigenwilligen Stil — grenzte an einen weitläufigen Garten, der noch zu drei oder vier anderen Sommerhäusern gehörte, so daß er gemeinsam benutzt wurde, was sehr natürlich und der Annäherung zwischen den Mädchen und den Nachbarn durchaus förderlich war. Schon bei den ersten Worten der Unterhaltung merkte Weltschaninoff, daß man ihn erwartet hatte und sein Erscheinen als Freund Pawel Pawlowitschs, der die Familie kennenlernen wollte, hier beinahe feierlich bekanntgegeben worden war. Sein scharfer und in solchen Dingen geübter Blick erkannte sofort das Besondere der Situation. Der etwas zu liebenswürdige Empfang seitens der Eltern, eine gewisse auffallende Art der Kleidung bei den Mädchen (es war allerdings ein Festtag) ließ den Verdacht in ihm aufkommen, Pawel Pawlowitsch habe ihn überlistet; leicht möglich, daß er über ihn, ohne Genaueres zu erwähnen, etwa in der Weise gesprochen hatte, er sei ein Junggeselle aus «bester Gesellschaft», der sich langweile, Vermögen besitze und vielleicht den Entschluß fassen könnte, «sich eine Grenze zu setzen» und sich häuslich einzurichten, «um so mehr, als er jetzt eine Erbschaft bekommen hat». Besonders die älteste Sachlebinin, Katerina Fedossejewna, eben jene, die vierundzwanzig Jahre zählte und die Pawel Pawlowitsch eine entzükkende Person genannt hatte, schien solche Vermutungen zu hegen. Unter ihren Schwestern fiel sie durch die erstaunlich eigenwillige Art auf, wie sie das üppige Haar trug. Die übrigen Mädchen schauten in einer Weise drein, als sei ihnen längst bekannt, daß Weltschaninoff sich Katjas wegen «einführen» lasse und jetzt gewissermaßen zur «Brautschau» gekommen sei. Blicke, die sie heimlich austauschten, und einige Worte, die ihnen im Laufe des Tages entschlüpften, bestätigten nur noch diese Vermutung. Katerina Fedossejewna war eine hochgewachsene, bis zur Üppigkeit volle Blondine mit einem überaus lieblichen Gesicht und, wie es schien, von stillem, nicht sehr unternehmendem, ja vielleicht sogar etwas verschlafenem Charakter. «Sonderbar, daß so eine sitzengeblieben ist», dachte Weltschaninoff unwillkürlich, indem er sie wohlgefällig betrachtete, «auch wenn sie ohne Mitgift ist und bald ganz in die Breite gehen wird; sie sollte wirklich viele Anwärter haben . . .» Die anderen Töchter waren auch alle gar nicht so übel, und unter den Freundinnen gab es einige sehr lustige und sogar liebreizende Gesichter. Die Sache begann ihn zu unterhalten. Übrigens hatte er ja schon beim Betreten des Hauses seine besonderen Gedanken gehabt.

Nadeschda Fedossejewna, die sechste, die noch zur Schule ging, die künftige Braut Pawel Pawlowitschs, ließ auf sich warten. Weltschaninoff spürte in sich eine Ungeduld, über die er selbst staunte und die er heimlich sogar belächeln mußte. Schließlich erschien sie — nicht ohne einen gewissen Effekt — in Begleitung einer lebhaften und kecken Freundin, einer Brünetten mit herausforderndem Gesicht, Marja Nikitischna, vor der, wie sich gleich herausstellte, Pawel Pawlowitsch entsetzliche Angst hatte. Diese Marja Nikitischna, ein Mädchen von schon dreiundzwanzig Jahren, schien Haare auf den Zähnen zu haben und recht klug zu sein. Sie lebte als Gouvernante in einem benachbarten und befreundeten Hause und wurde von allen Sachlebinins behandelt, als gehöre sie zur Familie. Die Töchter schätzten sie ganz besonders, und es war augenfällig, daß Nadja sie gerade jetzt sehr benötigte. Vom ersten Augenblick an erfaßte Weltschaninoff, daß sämtliche Mädchen, sogar die Freundinnen, gegen Pawel Pawlowitsch eingestellt waren, und eine Minute nachdem Nadja in Erscheinung getreten war, wußte er, daß sie Pawel Pawlowitsch *haßte*. Er stellte auch fest, daß dieser gar nichts merkte oder nichts merken wollte. Zweifellos war Nadja hübscher als alle ihre Schwestern — eine kleine Brünette, die wie ein Wildfang aussah und die Kühnheit einer Nihilistin verriet; ein diebisches Teufelchen mit feurigen Augen, entzückendem Lächeln, das auch boshaft sein konnte, mit erstaunlichen Lippen und Zähnen, zierlich, voller Anmut, mit keimenden Gedanken hinter der klaren Stirn bei einem Ausdruck, der gleichzeitig noch fast kindlich wirkte. Jedes ihrer Worte, jeder ihrer Schritte verriet ihre fünfzehn Jahre. Später stellte es sich heraus, daß Pawel Pawlowitsch sie tatsächlich zum ersten Mal mit einer Schulmappe gesehen hatte, die sie allerdings jetzt nicht mehr benutzte.

Die Überreichung des Armbandes mißlang vollständig und hinterließ sogar einen unangenehmen Eindruck. Kaum hatte Pawel Pawlowitsch die eintretende «Braut» bemerkt, als er auch gleich schmunzelnd auf sie zutrat. Das Geschenk machte er unter dem Vorwand einer Gegengabe für das gehabte Vergnügen bei seinem letzten Besuch, als Nadeschda Fedossejewna eine Romanze mit Klavierbegleitung gesungen hatte ... Er verwirrte sich, vollendete den Satz nicht, stand wie verloren da, hielt das Etui mit dem Armband hin und versuchte es ihr in die Hand zu drücken. Nadeschda Fedossejewna errötete vor Scham und Zorn, wollte es nicht annehmen und verschränkte ihre Hände hinter dem Rücken. Herausfordernd wandte sie sich zur Mutter, in deren Gesicht sich Verlegenheit spiegelte, und sagte laut:

«Ich will es nicht haben, *maman!*»

Nimm es und bedanke dich», sagte der Vater mit ruhiger Strenge; aber auch er war unzufrieden. «Das war überflüssig, ganz überflüssig!» brummte er zurechtweisend.

Nadja nahm — ihr blieb nichts anderes übrig — das Etui entgegen und machte gesenkten Blickes einen Knix, wie ihn kleine Mädchen machen, das heißt, sie ließ sich plötzlich nach unten sinken und sprang ebenso plötzlich wieder hoch, wie auf einer Sprungfeder. Eine der Schwestern kam auf sie zu, um das Geschenk zu betrachten, und Nadja überreichte ihr das Etui, ohne es selbst auch nur aufgemacht zu haben, womit sie zeigen wollte, daß sie es nicht einmal ansehen mochte. Das Armband wurde herausgenommen und wanderte jetzt von Hand zu Hand. Aber alle betrachteten es schweigend und manche sogar spöttisch. Nur die Mama murmelte etwas davon, daß es sehr hübsch sei. Pawel Pawlowitsch wäre am liebsten in den Erdboden versunken.

Weltschaninoff rettete die Situation.

Er fing plötzlich laut und heiter zu sprechen an und ließ sich über den ersten besten Gedanken aus, der ihm durch den Kopf fuhr; und noch waren keine fünf Minuten vergangen, als er die Aufmerksamkeit aller Anwesenden gefesselt hatte. Er beherrschte die Kunst der Unterhaltung in vollendetem Maße, das heißt die Kunst, vollkommen harmlos zu scheinen und zur gleichen Zeit so zu tun, als halte man seine Zuhörer für ebenso harmlose Menschen. Überaus natürlich konnte er sich geben, wenn es erforderlich war, als sei er das lustigste und glücklichste Geschöpf der Welt. Auch verstand er es sehr geschickt, ein scharfes und herausforderndes Wort ins Gespräch zu streuen, eine heitere Anspielung, einen humorvollen Scherz zu machen, und alles nur so von obenhin, nebenbei, als merke er es gar nicht. Und doch hatte er sowohl die Scherze wie die Anekdoten und selbst das ganze Gespräch womöglich längst vorbereitet und auswendig gelernt und schon mehr als einmal wiederholt. Aber in diesem gegebenen Augenblick schloß sich auch die Natur seiner Kunst an: er fühlte sich wohl, und es lockte ihn, zu brillieren. Er war der vollsten und siegesgewissen Überzeugung, daß nach einigen Minuten aller Augen auf ihn gerichtet sein, alle diese Menschen nur ihm allein zuhören, nur mit ihm sprechen und über das, was er zu sagen hatte, lachen würden. Und wirklich erscholl bald Gelächter, und nach und nach mischten sich auch die anderen in die Unterhaltung. Weltschaninoff verstand es meisterlich, Gesprächspartner heranzuziehen, — schon hörte man drei oder vier Stimmen, die gleichzeitig sprachen. Das gelangweilte und müde Gesicht Madame Sachlebinins strahlte fast freudig, ebenso das von Katerina Fedossejewna, die ihn anschaute und ihm wie bezaubert zuhörte. Nadja beobachtete ihn unausgesetzt mit zusammengezogenen Augenbrauen. Man merkte, daß sie gegen ihn voreingenommen war. Das spornte Weltschaninoff noch mehr an. Dazu kam, daß die «böse» Marja Nikitischna Gelegenheit fand, ihm im Gespräch einen ziemlich empfindlichen Stich zu versetzen. Sie hatte den Einfall, zu behaupten, Pawel Pawlowitsch habe ihn gestern hier als seinen Spielkameraden aus der Kindheit angepriesen, und fügte auf diese Weise seinem Alter volle sieben überzählige Jahre hinzu, worauf die ganze

Erwähnung unmißverständlich hindeutete. Aber selbst der «bösen» Marja Nikitischna gefiel er. Pawel Pawlowitsch war über alle Maßen betroffen. Er hatte natürlich eine gewisse Vorstellung von den Fähigkeiten gehabt, über die sein Freund verfügte, und anfangs freute er sich sogar über dessen Erfolg, kicherte und mischte sich selbst ins Gespräch; aber aus irgendeinem Grunde geriet er mehr und mehr in Gedanken und schließlich sogar in trübselige Stimmung, was sich offenkundig auf seinem Gesicht widerspiegelte.

«Nun, Sie sind ja ein Gast, den man nicht zu unterhalten braucht», rief heiter der alte Sachlebinin, während er sich vom Stuhl. erhob, um in sein Zimmer nach oben zu gehen, wo, ungeachtet des Feiertages, schon einige Gerichtsakten zur Durchsicht bereitlagen. «Denken Sie nur, ich habe Sie doch für den düstersten Hypochonder unter allen jungen Menschen gehalten! Wie man sich täuschen kann!»

Im Saal stand ein Flügel. Weltschaninoff fragte, wer sich hier mit Musik befasse, und wandte sich plötzlich an Nadja:

«Sie singen doch, wenn ich mich nicht irre?»

«Wer hat Ihnen das gesagt?» fuhr sie ihn an.

«Pawel Pawlowitsch erwähnte es doch vorhin.»

«Es ist nicht wahr; ich singe nur zum Spaß, ich habe ja gar keine Stimme.»

«Ich habe auch keine Stimme, singe aber trotzdem.»

«Werden Sie uns etwas vorsingen? Dann werde auch ich etwas singen» — ihre Augen funkelten ihn an —, «aber nicht jetzt, nach dem Mittagessen. Ich kann Musik nicht leiden», fügte sie hinzu, «das Klavier langweilt mich zum Sterben. Bei uns spielen und singen doch alle vom Morgen bis zum Abend, Katja allein spielt ja schon den ganzen Tag!»

Weltschaninoff griff diese Bemerkung sofort auf, und es stellte sich heraus, daß von allen nur Katerina Fedossejewna sich ernsthaft mit Musik befaßte. Er richtete sogleich die Bitte an sie, etwas zu spielen. Allen war es augenscheinlich sehr angenehm, daß er sich an Katja gewandt hatte, und *maman* errötete sogar vor Vergnügen. Katerina Fedossejewna erhob sich lächelnd und begab sich zum Flügel. Aber plötzlich, ganz unerwartet auch für sie selbst, stieg ihr das Blut in die Wangen, und es war ihr schrecklich peinlich, daß sie, die doch so groß und so voll und schon vierundzwanzig Jahre alt war, wie ein kleines Mädchen errötete. All das stand ihr auf dem Gesicht geschrieben, als sie sich an den Flügel setzte. Sie spielte etwas von Haydn, spielte es sauber, aber ohne Ausdruck, so verschüchtert war sie. Als sie zu Ende gekommen war, lobte Weltschaninoff über alles nicht sie, sondern Haydn und besonders das kleine Stück, das sie eben vorgetragen hatte, — und es war so augenfällig, wie angenehm ihr dies war und mit welcher Dankbarkeit sie den Lobgesang auf Haydn und nicht auf sich selbst anhörte, daß Weltschaninoff sie unwillkürlich aufmerksamer und zärtlicher anschaute: «Ei, du bist ja reizend!» Leuchtete es in seinen Augen auf, — und alle schienen diesen Blick im Nu verstanden zu haben, besonders Katerina Fedossejewna selbst.

«Sie haben einen schönen Garten», wandte er sich plötzlich an die ganze Gesellschaft, wobei er durch die Glastür des Balkons schaute. «Wollen wir nicht ein wenig hinausgehen?»

«Ja, ja, gehen wir!» erklangen freudige Ausrufe, als hätte er mit dieser Aufforderung den allgemeinen Wunsch getroffen. Im Garten lustwandelte man bis zum Mittagessen. Madame Sachlebinin, die zwar längst den Wunsch gehabt hatte, sich ein wenig hinzulegen, konnte doch nicht widerstehen und ging mit allen hinaus, um ein wenig mitzuspazieren, blieb aber vernünftigerweise auf dem Balkon zurück, wo sie sich hinsetzte und auch sofort einschlummerte. Im Garten wurden die Beziehungen zwischen den Mädchen und Weltschaninoff noch freundschaftlicher. Er sah, daß zwei oder drei sehr junge Männer aus den benachbarten Sommerhäusern sich ihnen anschlossen. Der eine war ein Student, der andere noch Gymnasiast. Jeder von ihnen sprang sofort auf sein Mädchen zu, und es lag auf der Hand, daß sie ihretwegen gekommen waren.

Der dritte «junge Mann», ein sehr finsterer zwanzigjähriger Bursche mit wirrem Haar und einer riesigen blauen Brille, begann eilig und mit gerunzelter Stirn mit Marja Nikitischna und Nadja zu flüstern. Er betrachtete Weltschaninoff mit strengem Blick und hielt sich anscheinend für verpflichtet, ihm gegenüber deutliche Verachtung an den Tag zu legen. Einige der Mädchen wollten möglichst schnell mit den Spielen beginnen. Auf Weltschaninoffs Frage, was sie denn spielten, antworteten sie: alles, zum Beispiel «Fangen»; abends aber wollten sie Sprichwörter raten; das sei ein Spiel, bei dem alle sich setzten und einer fortgeschickt werde. Die Sitzenden wählten ein Sprichwort, zum Beispiel «Eile mit Weile», und wenn der Fortgeschickte wiederkomme, müsse der erste einen Satz sagen, in dem das Wort «Eile» vorkomme, der zweite einen mit dem Wort «mit», und so weiter. Der Ratende müsse diese Worte herausfinden und auf diese Weise das Sprichwort zusammensetzen.

«Das ist sicher sehr unterhaltsam», bemerkte Weltschaninoff.

«Ach nein, entsetzlich langweilig», antworteten zwei oder drei Stimmen gleichzeitig.

«Wir spielen auch manchmal Theater», bemerkte plötzlich Nadja, zu Weltschaninoff gewandt. «Sehen Sie dort den dicken Baum, um den eine Bank läuft? Dort hinter dem Baum sind die Kulissen, und dort halten sich die Schauspieler auf: ein König, eine Königin, eine Prinzessin, ein junger Mann, — was man gerne will. Jeder tritt aus der Kulisse, wann es ihm einfällt, und spricht, was ihm in den Sinn kommt, — nun, und irgend etwas kommt dann schon zustande.»

«Das ist sicherlich sehr heiter!» lobte Weltschaninoff nochmals.

«Ach nein, entsetzlich langweilig! Zuerst ist es immer ganz lustig, aber gegen Ende wird es sinnlos, weil niemand den Schluß zu machen versteht. Vielleicht wird es mit Ihnen unterhaltsamer sein. — Wir alle dachten, Sie seien ein Freund von Pawel Pawlowitsch, aber es stellt sich ja heraus, daß er nur geprahlt hat. Ich bin sehr froh, daß Sie gekommen sind — aus einem bestimmten Grunde.»

Sie schaute Weltschaninoff ernst und eindringlich an und ging sofort auf Marja Nikitischna zu.

«Sprichwörter werden wir am Abend raten», flüsterte plötzlich eine der Freundinnen Weltschaninoff, der sie bis jetzt kaum bemerkt und noch kein Wort mit ihr gewechselt hatte, vertraulich zu. «Am Abend werden wir uns alle über Pawel Pawlowitsch lustig machen, Sie müssen dann mithalten.»

«Ach, wie schön, daß Sie gekommen sind, bei uns ist es immer so langweilig», sagte eine andere Freundin, die ihm ebenso wenig aufgefallen war und die von weiß Gott woher plötzlich auftauchte, kameradschaftlich zu ihm. Sie war rothaarig und hatte Sommersprossen im jungen Gesicht, das vom schnellen Gehen fröhlich glühte.

Pawel Pawlowitschs Unruhe steigerte sich. Im Garten hatten Weltschaninoff und Nadja endgültig zueinander gefunden. Sie schaute ihn schon nicht mehr wie vorhin von unten her und mit zusammengezogenen Augenbrauen an und hatte, schien es, auch den Vorsatz, ihn mit Blicken zu erforschen, beiseitegeschoben. Sie lachte, sprang herum, kicherte und faßte ihn sogar ein- oder zweimal bei der Hand. Sie war glücklich und schenkte Pawel Pawlowitsch keinerlei Aufmerksamkeit, als bemerke sie seine Gegenwart gar nicht. Weltschaninoff konnte sich davon überzeugen, daß tatsächlich gegen Pawel Pawlowitsch ein Komplott geschmiedet war. Nadja und ein Teil der Mädchen zogen Weltschaninoff auf die eine Seite des Gartens, während die übrigen Freundinnen Pawel Pawlowitsch unter verschiedenen Vorwänden auf die andere lockten. Dieser aber riß sich los, lief Hals über Kopf hinüber zu Weltschaninoff und Nadja und steckte plötzlich unruhig herumspähend und lauschend den Kopf zwischen sie. Schließlich legte er sich gar keinen Zwang mehr auf: die Naivität seiner Bewegungen und Gesten war oft erstaunlich.

Weltschaninoff konnte nicht umhin, Katerina Fedossejewna

noch einmal seine besondere Aufmerksamkeit zuzuwenden. Ihr war es inzwischen natürlich klar geworden, daß er durchaus nicht ihretwegen gekommen war, sondern bereits ein Interesse für Nadja hatte. Aber ihr Gesichtsausdruck blieb ebenso lieb und gutartig wie vorhin. Schon allein, daß sie neben ihnen sein und hören durfte, was der neue Gast sagte, schien sie glücklich zu machen. Sie selbst, die Arme, verstand es gar nicht, geschickt am Gespräch teilzunehmen.

«Wie reizend ist doch Ihre Schwester Katerina Fedossejewna!» sagte Weltschaninoff plötzlich leise zu Nadja.

«Katja? Gibt es denn überhaupt eine gütigere Seele als die ihre? Sie ist unser Engel, ich bin in sie verliebt», antwortete das Mädchen voller Begeisterung für die Schwester.

Schließlich, um fünf Uhr, rückte die Tischzeit heran. Auch hier war es ersichtlich, daß es keine gewöhnliche Mahlzeit, sondern eine eigens für den Gast zubereitete gab. Zwei oder drei Gänge, offenbar dem alltäglichen Menu beigefügt, recht ausgefallene sogar, wurden serviert, und einer davon war so sonderbar, daß keiner ihn benennen konnte. Außer dem gewohnten Tafelwein kam eine — wohl auch für den Gast bestimmte — Flasche Tokaier auf den Tisch. Zum Schluß der Mahlzeit wurde aus unersichtlichem Grunde auch noch Champagner gereicht. Der alte Sachlebinin, der ein Gläschen zu viel getrunken hatte, war in aufgeräumtester Stimmung und bereit, über alles zu lachen, was Weltschaninoff sagte.

Pawel Pawlowitsch hielt es schließlich nicht mehr aus und ließ sich zum Wetteifern verführen, indem er auch ein Wortspiel zum besten gab. Am Tischende, an dem er neben Madame Sachlebinin saß, erklang plötzlich lautes Gelächter der hocherfreuten Mädchen.

«Papa, Papa! Pawel Pawlowitsch hat auch einen Scherz gemacht», riefen die zwei mittleren Sachlebinin-Töchter gleichzeitig. «Er sagte . . .» Und sie wiederholten einen recht abgeschmackten und witzlosen Satz.

«So, so, macht er auch Scherze? Nun, was für einen Scherz hat er denn gemacht?» erwiderte mit gemessener Stimme der alte Sachlebinin und wandte sich, den erwarteten Spaß schon im voraus belächelnd, gönnerhaft Pawel Pawlowitsch zu.

«Er sagte doch . . .» Und die Töchter wiederholten ihm noch einmal den Satz.

«J-jaa! Und . . .?» fragte der Alte wieder. Er verstand den Scherz noch immer nicht und lächelte in Erwartung einer weiteren Wiederholung noch gutmütiger und noch wohlwollender.

«Ach, Papa, wie können Sie denn das nicht verstehen!» riefen die Töchter und erklärten ihm den Satz ganz ausführlich.

«A-a-a-h!» gab der Alte mit einer gewissen Betroffenheit von sich. «Hm! Nächstens wird er einen besseren Scherz machen!» Und er lachte heiter.

«Pawel Pawlowitsch, man kann doch nicht alle Vorzüge gleichzeitig besitzen!» neckte Marja Nikitischna laut. «Ach, mein Gott! Er hat sich an einer Fischgräte verschluckt!» rief sie und sprang vom Stuhl auf.

Eine entsetzliche Verwirrung entstand, aber das bezweckte Marja Nikitischna ja nur. Pawel Pawlowitsch hatte sich nur am Wein verschluckt, nach dem er gegriffen hatte, um seine Verlegenheit zu verbergen, aber Marja Nikitischna behauptete und schwor nach allen Seiten, daß es eine Fischgräte sei, daß sie es selbst gesehen habe und daß man daran sterben könne.

«Auf den Rücken klopfen!» rief jemand.

«Das ist wirklich das beste!» sagte bestätigend der alte Sachlebinin.

Und schon waren Dienstfertige zur Stelle: Marja Nikitischna, die rothaarige Freundin (die man auch zum Essen aufgefordert hatte) und zuletzt noch die Hausfrau selbst, die sehr erschrocken war. Alle wollten Pawel Pawlowitsch auf den Rücken klopfen. Dieser sprang vom Tisch auf und versuchte auszuweichen; eine volle Minute lang mußte er beteuern, er habe sich nur am Wein verschluckt und der Hustenanfall sei gleich vorüber, — bis man schließlich erkannte, daß alles nur ein Streich Marja Nikitischnas gewesen war.

«Du bist aber ein Kampfhahn!» wollte Madame Sachlebinin verweisend zu Marja Nikitischna gewandt beginnen, konnte aber nicht an sich halten und mußte so lachen, wie es selten bei ihr der Fall war.

Nach dem Essen gingen alle zum Kaffeetrinken auf den Balkon.

«Was wir doch für schöne Tage haben!» lobte der Alte wohlwollend die Natur und schaute vergnügt in den Garten. «Regen täte gut ... Nun, ich will mich ein wenig ausruhen. Mit Gott, mit Gott, unterhaltet euch gut! Und auch du — amüsiere dich auch!» Damit schlug er beim Hinausgehen Pawel Pawlowitsch auf die Schulter.

Als alle wieder in den Garten hinuntergegangen waren, kam Pawel Pawlowitsch plötzlich auf Weltschaninoff zu und zupfte ihn am Ärmel.

«Einen Augenblick nur», flüsterte er ungeduldig.

Sie traten in einen einsamen Seitenweg des Gartens.

«Nein, in diesem Fall, Sie müssen schon verzeihen, in diesem Fall, nein, das werde ich nicht zulassen...» flüsterte er, vor Wut schluckend, und faßte Weltschaninoff wieder am Ärmel.

«Was denn? Wovon reden Sie?» fragte Weltschaninoff und riß die Augen weit auf.

Pawel Pawlowitsch schaute ihn schweigend an, bewegte die Lippen und lächelte wutverzerrt.

«Wo sind Sie? Wo bleiben Sie? Alles ist bereit», hörte man die Stimmen der ungeduldigen Mädchen rufen.

Weltschaninoff zuckte die Achseln und kehrte zur Gesellschaft zurück. Pawel Pawlowitsch lief hinter ihm her.

«Ich wette, er hat Sie um ein Taschentuch gebeten», sagte Marja Nikitischna, «das letzte Mal hatte er es auch vergessen.»

«Immer vergißt er etwas!» sekundierte die mittlere Sachlebinin.

«Er hat sein Taschentuch vergessen! Pawel Pawlowitsch hat sein Taschentuch vergessen! *Maman*, Pawel Pawlowitsch hat Schnupfen!» ertönten allerorts Stimmen.

«Warum sagt er denn nichts? Sie sind aber schüchtern, Pawel Pawlowitsch!» meinte in singendem Tonfall Madame Sachlebinin. «Mit einem Schnupfen soll man nicht scherzen. Ich will Ihnen gleich ein Taschentuch holen lassen. Warum hat er nur immer Schnupfen?» fügte sie im Fortgehen hinzu, froh über den Vorwand, wieder ins Haus zu können.

«Ich habe zwei Taschentücher und keinen Schnupfen!» rief Pawel Pawlowitsch ihr nach, aber sie hörte es anscheinend nicht mehr; denn eine Minute später, als Pawel Pawlowitsch hinter den anderen herlief, immer möglichst in Nadjas und Weltschaninoffs Nähe, holte eine atemlose Stubenmagd ihn ein und brachte ihm ein Tuch.

«Spielen wir, spielen wir ‹Sprichwörter›!» rief es von allen Seiten, als erwarte man weiß Gott was von dieser Abwechslung.

Man wählte einen Platz und setzte sich auf Bänke. Als erste mußte Marja Nikitischna raten. Sie wurde gebeten, möglichst weit fortzugehen und nicht zu lauschen. In ihrer Abwesenheit wählte man ein Sprichwort und verteilte die Worte. Marja Nikitischna kehrte zurück, und im Nu hatte sie es erraten. Das Sprichwort hieß: «Schrecklich ist der Traum, doch Gott ist gnädig.»

Nach Marja Nikitischna kam die Reihe an den jungen Mann mit dem wirren Haar und der blauen Brille. Von ihm verlangte man, daß er noch weiter fortgehe, bis zur Laube, und sich mit dem Gesicht dem Zaun zukehre. Der düstere junge Mann erfüllte dies voller Verachtung und fühlte sich dabei sichtlich moralisch erniedrigt. Als man ihn rief, konnte er das Sprichwort nicht erraten, fragte jeden zweimal nach dem vorbereiteten Satz, überlegte lange und mit finsterem Gesichtsausdruck; es kam aber nichts dabei heraus. Man verspottete ihn. Das Sprichwort hieß: «Zu Gott gebetet und dem Zaren gedient, ist nie vergebliche Mühe.»

«Ein blödes Sprichwort!» sagte der verletzte Jüngling entrüstet und zog sich auf seinen Platz zurück.

«Ach, wie langweilig!» erklangen einige Stimmen.

Dann kam die Reihe an Weltschaninoff. Er wurde noch weiter weggeschickt als alle übrigen. Aber auch er erriet nichts.

«Ach, wie langweilig!» erklangen noch mehr Stimmen.

«Nun, jetzt gehe ich», sagte Nadja.

«Nein, nein, jetzt muß Pawel Pawlowitsch gehen, jetzt ist die Reihe an ihm», schrien alle und belebten sich ein wenig. Pawel Pawlowitsch wurde bis zum Zaun geführt. Dort mußte er sich mit dem Gesicht gegen die Ecke stellen, und damit er sich nicht umschaue, ließ man die Rothaarige als Wache bei ihm. Pawel Pawlowitsch, der sich schon wieder aufgeheitert hatte und fast fröhlich geworden war, nahm sich vor, seine Pflicht getreu zu erfüllen, stand wie ein Holzklotz, schaute den Zaun an und wagte nicht, sich umzudrehen. Die Rothaarige bewachte ihn aus einer Entfernung von zwanzig Schritt, neben der Laube, näher bei der ganzen Gesellschaft, und zwinkerte in größter Aufregung den Mädchen zu. Man sah, daß alle mit einer gewissen Unruhe warteten; etwas war offensichtlich in Vorbereitung. Plötzlich fuchtelte die Rothaarige, die hinter der Laube stand, mit den Armen. Im Nu sprangen alle auf und liefen Hals über Kopf irgendwohin.

«Laufen Sie, laufen Sie doch auch!» flüsterten etwa zehn Mädchen gleichzeitig Weltschaninoff zu und schienen entsetzt zu sein, daß er es nicht tat.

«Was ist los? Was ist geschehen?» fragte er und eilte hinter ihnen her.

«Sssst! Schreien Sie nicht. Soll er dort stehen und den Zaun anstarren, wir laufen inzwischen alle davon. Da kommt auch Nastja.»

Nastja, die Rothaarige, lief aus Leibeskräften, als wäre Gott weiß was geschehen, und fuchtelte mit den Händen. Schließlich versammelten sich alle hinter dem Teich am entgegengesetzten Ende des Gartens. Als Weltschaninoff dazustieß, sah er, daß Katerina Fedossejewna heftig mit den übrigen Mädchen stritt, besonders mit Nadja und Marja Nikitischna.

«Katja, mein Engel, ärgere dich nicht!» bat Nadja und küßte sie.

«Nun gut, ich werde es *maman* nicht sagen, aber ich selbst gehe fort, denn es ist nicht schön. Was muß der Arme dort am Zaun empfinden!»

Sie ging fort — aus Mitleid, aber alle übrigen blieben unerbittlich und ebenso grausam wie vorher. Sie verlangten von Weltschaninoff mit aller Strenge, er dürfe Pawel Pawlowitsch, wenn dieser wieder zu ihnen komme, keine Beachtung schenken und solle tun, als sei nichts geschehen.

«Und wir wollen Fangen spielen!» rief voller Begeisterung die Rothaarige.

Erst nach einer Viertelstunde schloß Pawel Pawlowitsch sich wieder der Gesellschaft an. Mindestens zwei Drittel dieser Zeit hatte er am Zaun gestanden. Das Fangspiel war gerade in vollstem Gange und gelang vorzüglich, alles schrie und vergnügte sich. Vor Wut fast besinnungslos, sprang Pawel Pawlowitsch unmittelbar auf Weltschaninoff zu und packte ihn abermals am Ärmel.

«Einen Augenblick, bitte!»

«Mein Gott, immer wieder kommt er mit seinen Augenblicken!»

«Er wird Sie wieder um ein Taschentuch bitten», rief man ihnen nach.

«Diesmal sind Sie's ... das haben Sie ... das haben Sie angezettelt ...!»

Pawel Pawlowitsch klapperte sogar mit den Zähnen, als er dies hervorstieß.

Weltschaninoff unterbrach ihn und gab ihm friedfertig den guten Rat, die Sache leicht zu nehmen, sonst werde man ihn noch zu Tode hänseln: «Darum neckt man Sie ja, weil Sie immer ärgerlich sind, während die anderen nur scherzen.»

Zu seiner Verwunderung versetzten diese Worte und sein Ratschlag Pawel Pawlowitsch in größtes Erstaunen. Er mäßigte sich sofort, ja er kehrte wie ein Schuldiger zur Gesellschaft

zurück und nahm an den gemeinsamen Spielen artig teil.
Eine Weile lang ließ man ihn in Ruhe und verhielt sich zu
ihm wie zu allen andern. Noch keine halbe Stunde war vergangen, und Pawel Pawlowitsch hatte seine Fröhlichkeit bei-
naht ganz wiedergewonnen. Bei allen Spielen engagierte er,
wenn Paare erforderlich waren, vorwiegend die Rothaarige
oder eine der Schwestern Sachlebinin. Aber zum größten Erstaunen Weltschaninoffs wagte Pawel Pawlowitsch es kein
einziges Mal, das Wort an Nadja zu richten, obwohl er sich
fast unausgesetzt neben oder unweit von ihr aufhielt. Jedenfalls nahm er die Rolle des von ihr Übersehenen und Ver-
achteten wie etwas Unabwendbares und ganz Natürliches hin.
Aber zum Schluß heckten die Mädchen doch noch einen Streich
gegen ihn aus.
Man spielte «Verstecken», jedoch mit der Abänderung, daß es
erlaubt war, das Versteck innerhalb abgesteckter Grenzen zu
wechseln. Pawel Pawlowitsch, dem es gelungen war, sich un-
auffindbar zu machen, indem er in einen dichten Strauch kroch,
kam plötzlich auf den Gedanken, ein anderes Versteck im
Hause zu suchen. Beim Hinüberlaufen aber wurde er erblickt,
und man rief ihm zu. Eilig entwischte er über die Treppe in
den zweiten Stock, wo er im Flur eine Kommode wußte, hinter die er sich ducken wollte. Aber die Rothaarige flog hinter
ihm her, schlich auf Zehenspitzen zur Haustür und drehte den
Schlüssel um. Alle hörten — genau wie vorhin — zu spielen auf
und liefen wieder zum anderen Gartenende hinter den Teich.
Nach etwa zehn Minuten bemerkte Pawel Pawlowitsch, daß
keiner ihn suchte, und schaute zum Fenster hinaus. Niemand
war zu sehen. Zu rufen wagte er nicht, da er die Eltern nicht
wecken wollte. Den Dienstboten war strengster Befehl erteilt
worden, nicht auf Pawel Pawlowitsch zu hören und ihm nicht
zu gehorchen. Einzig Katerina Fedossejewna hätte ihm auf-
schließen können, aber sie war, nachdem sie sich auf ihr Zimmer zurückgezogen und zum Vor-sich-Hinträumen ein wenig
niedergesetzt hatte, unversehens eingeschlafen. Auf diese

Weise war er fast eine volle Stunde lang eingesperrt. Schließlich begannen die Mädchen wie zufällig zu zweit oder zu dritt aufzutauchen und vor seinem Fenster zu promenieren.

«Pawel Pawlowitsch, warum kommen Sie nicht zu uns? Ach, wir sind ja so lustig! Wir spielen Theater! Aleksej Iwanowitsch hat den ‹Liebhaber› gemacht!»

«Pawel Pawlowitsch, warum kommen Sie nicht? Über Sie muß man wirklich staunen!» riefen ihm wieder andere Mädchen im Vorübergehen zu.

«Worüber denn schon wieder staunen?» erscholl plötzlich die Stimme Madame Sachlebinins, die eben erwacht war und noch einige Schritte in den Garten machen wollte, um sich bis zur Teestunde die «kindlichen» Spiele anzusehen.

«Über Pawel Pawlowitsch», antwortete man ihr, auf das Fenster weisend, aus dem das verzerrt lächelnde, vor Wut erblaßte Gesicht des Gastes schaute.

«Warum sitzt er auch immer allein, während die anderen sich vergnügen!» sagte Madame Sachlebinin und schüttelte den Kopf.

Inzwischen wurde Weltschaninoff endlich die Ehre zuteil, über Nadjas Worte, sie sei «aus einem gewissen Grunde froh, daß er gekommen», Aufklärung zu erhalten. Das Gespräch fand in einer einsamen Allee statt. Marja Nikitischna holte Weltschaninoff eigens zu diesem Zweck von einem Spiel fort, an dem er gerade teilnahm und bei dem er schon begonnen hatte, sich sehr zu langweilen. Sie brachte ihn in die Allee, wo sie ihn mit Nadja allein ließ.

«Ich bin nun vollständig davon überzeugt», begann diese, schnell darauf losplappernd, «daß Sie gar kein so intimer Freund von Pawel Pawlowitsch sind, wie er sich dessen rühmte. Ich habe mir überlegt, daß nur Sie mir einen überaus wichtigen Dienst erweisen können. Hier ist dieses ekelhafte Armband, das er mir vorhin geschenkt hat» — sie holte das Etui aus der Tasche —, «und ich möchte Sie ergebenst bitten, es ihm ohne Zögern zurückzuerstatten, denn ich selbst werde mit ihm um keinen Preis auch nur ein Wort wechseln, mein ganzes Leben lang nicht. Übrigens können Sie ihm das in meinem Namen sagen, und fügen Sie noch hinzu, er soll es künftighin nicht wagen, sich mir mit seinen Geschenken aufzudrängen. Alles übrige werde ich ihn durch andere wissen lassen. Sind Sie bereit, mir das Vergnügen zu machen und meinen Wunsch zu erfüllen?»

«Ach, um Gottes Willen, verschonen Sie mich!» rief Weltschaninoff aus und winkte mit den Armen ab.

«Wie? Wieso verschonen?»

Nadja war unglaublich erstaunt über seine Weigerung und starrte ihn aus großen Augen an. Im Nu fiel sie aus der Rolle, die sie sich zurechtgelegt hatte, und jetzt weinte sie beinahe. Weltschaninoff mußte lachen.

«Nicht daß ich . . . ich würde sehr gerne . . . aber ich habe selbst mit ihm abzurechnen . . .»

«Ich wußte, daß Sie gar nicht sein Freund sind und er gelogen hat!» unterbrach ihn Nadja schnell und jähzornig. «Ich werde ihn nie heiraten, daß Sie es nur wissen! Niemals! Ich verstehe gar nicht, wieso er sich erdreisten konnte . . . Aber Sie müssen ihm sein ekelhaftes Armband übergeben, was soll ich denn sonst machen? Ich will, daß er heute, unbedingt noch heute, am selben Tag das Armband zurückerhält . . . Und wenn er es Papa verrät, dann soll er mal sehen, was er zu hören bekommt!»

Aus den Büschen sprang plötzlich und ganz unerwartet der junge Mann mit dem wirren Haar und der blauen Brille.

«Sie müssen das Armband übergeben!» Mit diesen Worten stürzte er sich unbeherrscht auf Weltschaninoff: «Schon allein im Namen der Frauenrechte, falls Sie in dieser Frage auf der Höhe sind.»

Aber er kam nicht dazu, fortzufahren. Nadja packte ihn am Arm und riß ihn mit aller Gewalt von Weltschaninoff weg.

«Mein Gott, was sind Sie doch dumm, Predpossyloff», schrie sie. «Verschwinden Sie! Verschwinden Sie! Und wagen Sie nicht, wieder zu lauschen, ich habe Ihnen befohlen, weit weg-zugehen . . .» Sie trampelte mit den Füßen, und als jener wie-der in die Büsche geschlichen war, begann sie außer sich auf dem Gartenweg hin und her zu gehen, mit den Augen zu funkeln und beide Hände wie in Verzweiflung vor sich zu ver-schränken.

«Sie glauben nicht, wie dumm sie alle sind!» sagte sie und blieb plötzlich vor Weltschaninoff stehen. «Sie haben gut la-chen, aber wie ist mir dabei zu Mute?!»

«Aber das ist doch nicht ‹er›. Oder etwa doch?» lachte Wel-tschaninoff.

«Selbstredend ist das nicht ‹er›, wie konnten Sie nur so etwas denken!» entgegnete Nadja und lächelte errötend. «Das ist nur sein Freund. Aber was für Freunde er sich auswählt, ich ver-stehe das nicht. Alle sagen, dieser da sei ein ‹künftiger Lenker der Geschicke›, ich verstehe nicht . . . Aleksej Iwanowitsch, ich habe niemanden, an den ich mich wenden könnte. Zum letzten Mal: wollen Sie es übergeben oder nicht?»

«Nun gut, ich will es tun, geben Sie es her!»

«Ach, Sie sind ein lieber, Sie sind ein guter Mensch!» rief sie hocherfreut aus und reichte ihm das Etui. «Ich will Ihnen dafür den ganzen Abend lang vorsingen, denn ich singe wundervoll, damit Sie es nur wissen, und vorhin habe ich gelogen, als ich sagte, ich liebte Musik nicht. Ach, wenn Sie doch wenigstens nur noch einmal kommen würden, ich würde Ihnen alles, alles, alles erzählen und noch viel mehr, denn Sie sind ein guter, ein wirklich guter Mensch, wie — wie Katja!»

Und wirklich sang sie, als sie zum Tee ins Haus kamen, mit noch ganz ungeschulter und eben erst beginnender Stimme, die aber recht angenehm und kräftig war, zwei Romanzen für ihn. Pawel Pawlowitsch saß, als alle aus dem Garten zurück-kamen, artig neben den Eltern am Teetisch, auf dem der große Samowar schon dampfte und Sèvresporzellan stand. Wahr-scheinlich unterhielt er sich mit den Alten über sehr wichtige Dinge, da er ja übermorgen auf neun Monate verreisen wollte.

Er würdigte die aus dem Garten Eintretenden und vor allem Weltschaninoff keines Blickes. Aber man sah auch sogleich, daß er nicht «gepetzt» hatte und daß vorläufig alles in Ruhe war.

Als Nadja aber zu singen begann, erschien er sogleich. Auf eine an sie gerichtete Frage gab Nadja ihm absichtlich keine Antwort, doch das machte Pawel Pawlowitsch weder verlegen, noch erschütterte es seine Sicherheit. Er stellte sich hinter die Lehne ihres Stuhles, und sein ganzes Aussehen gab zu verstehen, daß dies sein Platz sei und daß er ihn keinem abtreten werde.

«Aleksej Iwanowitsch soll singen, *maman*, Aleksej Iwanowitsch will vorsingen!» riefen fast alle Mädchen und drängten zum Flügel, an den Weltschaninoff sich gerade selbstbewußt setzte, um sich zum Gesang zu begleiten. Auch die Eltern kamen herüber und Katerina Fedossejewna, die bei ihnen im anderen Zimmer gesessen und Tee ausgeschenkt hatte.

Weltschaninoff wählte eine heute fast unbekannte Romanze von Glinka:

> Öffnest, froh der Stunde, deine Lippen du,
> Gurrst mir zärtlicher denn Täubchen zu ...

Er sang sie, wobei er sich ausschließlich an Nadja wandte, die ganz nahe bei ihm stand. Schon seit langem hatte er keine Singstimme mehr, aber an dem, was geblieben war, konnte man sehen, daß sie einst nicht übel gewesen sein mußte. Diese Romanze hatte Weltschaninoff als Student vor etwa zwanzig Jahren zum ersten Mal von Glinka selbst gehört, als er bei einem Freunde des Komponisten anläßlich eines literarisch-künstlerischen Herrenabends eingeladen gewesen war. Der sehr aufgeräumte Glinka sang und spielte damals alle seine Lieblingsstücke aus den eigenen Werken, unter anderem auch diese Romanze. Er besaß ebenfalls keine Stimme mehr, aber Weltschaninoff erinnerte sich noch des außerordentlichen Eindrucks, den dieses Stück damals auf alle machte. Irgendein künstelnder Salonsänger hätte niemals solch eine Wirkung erzielt. In dieser Romanze steigert sich die Spannung der Leidenschaft von Vers zu Vers, von Wort zu Wort. Eben weil diese Spannung so stark ist, könnte die geringste Unechtheit, die kleinste Übertreibung oder Verlogenheit — die in einer Oper unbemerkt durchginge — den Sinn des Ganzen entstellen oder vernichten. Um dieses kleine, aber ungewöhnliche Werk gut zu singen, bedurfte es unbedingt der Aufrichtigkeit, wahrer, reicher Inspiration, wirklicher Leidenschaft und vollkommener Beherrschung. Andernfalls mußte die Romanze nicht nur mißlingen, sondern auch ungeheuerlich oder schamlos wirken: unmöglich, solche Spannung eines leidenschaftlichen Gefühls auszudrücken, ohne Widerwillen auszulösen, wenn die Ehrlichkeit und Aufrichtigkeit der Empfindung nicht alles rettet. — Weltschaninoff erinnerte sich, daß diese Romanze auch ihm ehemals gelungen war, denn er hatte sich Glinkas Art zu singen fast völlig angeeignet. Jetzt aber, mit dem ersten Ton, dem ersten Vers, entflammte wirkliche Ergriffenheit seine Seele und schwang in seiner Stimme mit. Jedes weitere Wort, jeder folgende Ton ließ das Gefühl immer kühner, immer stärker durchbrechen, in den späteren Versen erklangen die Schreie der Leidenschaft, und als er die letzten Zeilen mit einem feurig leuchtenden Blick auf Nadja sang:

Kühner schau ich jetzt in deiner Augen Grund,
Hör nichts mehr und nähere meinen Mund:
Will nur küssen, küssen, will nur küssen,
Will nur küssen, küssen, will nur küssen —

da zuckte diese beinahe zusammen vor Schreck, ja sie rückte sogar ein wenig ab. Glühendes Rot übergoß ihre Wangen, und zur gleichen Zeit schien es Weltschaninoff, als sehe er doch etwas wie einen Widerhall in dem verschämten und fast zaghaft gewordenen Ausdruck ihres Gesichtchens. Verzauberung und zugleich Fassungslosigkeit lag auf den Zügen aller Zuhörerinnen; es war, als sei es nicht statthaft und sogar eine Schande, so zu singen, und zugleich brannten und funkelten diese Gesichter und Augen und schienen noch etwas zu erwarten. Ganz besonders fiel Weltschaninoff das Antlitz von Katerina Fedossejewna auf, das beinahe schön geworden war.

«Was für eine Romanze!» murmelte der etwas verblüffte alte Sachlebinin, «aber . . . vielleicht doch etwas zu stark? Schön, aber stark . . .»

«Stark —» wollte Madame Sachlebinin beginnen, aber Pawel Pawlowitsch ließ sie nicht aussprechen. Er sprang plötzlich vor, ergriff, sich vollkommen vergessend, Nadja bei der Hand und führte sie vom Flügel weg, lief dann wieder auf Weltschaninoff zu, schaute ihn mit verlorenem Blick an und bewegte dabei die bebenden Lippen.

«Einen Augenblick . . .» konnte er schließlich mit Mühe hervorbringen.

Weltschaninoff sah ganz deutlich, daß es nur noch einer Sekunde bedurfte, und dieser Herr werde sich zu etwas ganz Unsinnigem hinreißen lassen. Er nahm ihn schnell bei der Hand, führte ihn — die allgemeine Fassungslosigkeit nicht beachtend — auf den Balkon und ging mit ihm sogar einige Schritte in den Garten hinunter, der schon fast ganz im Dunkel lag.

«Verstehen Sie, daß Sie sofort, gleich in diesem Augenblick mit mir von hier fortfahren müssen?» sagte Pawel Pawlowitsch.

«Nein, ich verstehe nicht . . .»

«Erinnern Sie sich», fuhr Pawel Pawlowitsch in wutverzücktem Flüsterton fort, «erinnern Sie sich, wie Sie damals von mir verlangt haben, ich sollte Ihnen alles sagen, *alles*, offenherzig, das allerletzte Wort . . . erinnern Sie sich? Nun, jetzt ist die Zeit gekommen, dieses Wort zu sagen . . . Fahren wir!»

Weltschaninoff überlegte, schaute noch einmal Pawel Pawlowitsch an und erklärte sich bereit.

Ihr plötzlich bekanntgegebener Aufbruch brachte die Eltern in die größte Erregung und löste bei den Mädchen Empörung aus.

«Wenigstens noch eine Tasse Tee!» bat klagend Madame Sachlebinin.

«Und du, warum bist du in solche Aufregung geraten?» wandte

sich der alte Sachlebinin mit strengem und unzufriedenem Ton an Pawel Pawlowitsch, der nur vor sich hinschmunzelte und sich ausschwieg.

«Pawel Pawlowitsch, warum entführen Sie uns Aleksej Iwanowitsch?» zwitscherten die Mädchen jammernd und schauten ihn dabei erbost an.

Nadja jedoch bedachte ihn mit einem so haßerfüllten Blick, daß er sich krümmte — aber nicht nachgab.

«Ich bin Pawel Pawlowitsch in der Tat sehr dankbar, er hat mich an eine überaus wichtige Angelegenheit erinnert, die ich leicht hätte vergessen können», sagte Weltschaninoff lachend, während er dem Hausherrn die Hand drückte und sich vor der Mutter, allen Mädchen und ganz besonders vor Katerina Fedossejewna verbeugte, was wiederum von allen bemerkt und zur Kenntnis genommen wurde.

«Wir danken Ihnen für Ihren Besuch und würden uns freuen, wenn Sie wiederkämen, wir alle», schloß Sachlebinin bedeutungsvoll.

«Ach, wir freuen uns ja so», bestätigte voller Gefühl die Frau des Hauses.

«Kommen Sie bald wieder, Aleksej Iwanowitsch, kommen Sie wieder!» vernahm man viele Stimmen vom Balkon, als er sich mit Pawel Pawlowitsch schon in der Droschke befand. Fast unhörbar rief ein Stimmchen etwas leiser als die anderen: «Kommen Sie wieder, lieber, lieber Aleksej Iwanowitsch!»

«Das ist die Rothaarige!» dachte Weltschaninoff.

XIII. ZU BEIDEN SEITEN DES GRABES

Selbst wenn er an die Rothaarige dachte, es half nichts — Ärger und Reue quälten schon lange seine Seele. Ja sogar im Laufe des ganzen Tages, der so unterhaltsam gewesen zu sein schien, hatte ihn die Schwermut nicht verlassen. Schon als er die Romanze zu singen begann, wußte er bereits nicht mehr, wie entkommen. Vielleicht war das der Grund, warum er mit solcher Hingabe gesungen hatte.

«Und ich habe mich so erniedrigen, mich von allem so loslösen können», begann er seine Selbstvorwürfe, unterbrach aber eiligst diesen Gedankengang. Erniedrigend schien es ihm, sich über sich selbst zu beklagen, und viel angenehmer, seinen Ärger über jemanden auszugießen.

«Dummkopf», zischte er wuterfüllt und schielte zu Pawel Pawlowitsch hinüber, der schweigend neben ihm in der Droschke saß.

Pawel Pawlowitsch schwieg ostentativ; vielleicht versuchte er sich zu sammeln und Vorbereitungen zu treffen. Mit einer ungeduldigen Handbewegung zog er ab und zu seinen Hut vom Kopf und wischte sich den Schweiß von der Stirn.

«Er schwitzt!» konstatierte Weltschaninoff verärgert.

Nur ein einziges Mal wandte Pawel Pawlowitsch sich mit einer Frage an den Kutscher: ob ein Gewitter kommen werde oder nicht?

«Huuuh! Und was für eines! Es kommt bestimmt, den ganzen Tag über war es schon so schwül.»

Und wirklich, der Himmel verfinsterte sich, und in der Ferne zuckten Blitze auf. Erst um halb elf Uhr erreichten sie die Stadt.

«Ich komme noch zu Ihnen», wandte sich Pawel Pawlowitsch an Weltschaninoff, als sie in der Nähe seines Hauses waren.

«Ich verstehe; aber ich mache Sie darauf aufmerksam, daß ich mich ernsthaft krank fühle.»

«Ich werde nicht zu lange bleiben, nicht zu lange.»

Als sie durch das Tor schritten, lief Pawel Pawlowitsch schnell in die Hausmeisterwohnung zu Mawra.

«Was haben Sie dort gemacht?» fragte Weltschaninoff streng, als Pawel Pawlowitsch ihn wieder eingeholt hatte und sie die Wohnung betraten.

«Nichts, nur so ... des Fuhrmanns wegen ...»

«Zu trinken gebe ich Ihnen nichts!»

Keine Antwort folgte. Weltschaninoff entzündete die Kerzen, Pawel Pawlowitsch machte es sich sogleich im Sessel bequem. Weltschaninoff blieb mit gerunzelter Stirn vor ihm stehen.

«Auch ich habe Ihnen versprochen, mein ‹letztes Wort› zu sagen», begann er mit einer inneren, noch beherrschten Gereiztheit. «Da ist es, dieses Wort: ich glaube, reinen Gewissens behaupten zu können, daß zwischen uns alles zu Ende ist, so daß wir einander nichts mehr zu sagen haben, hören Sie — nichts mehr. Und darum ist es wohl besser, Sie gehen jetzt gleich und ich schließe hinter Ihnen die Tür.»

«Wir wollen erst abrechnen, Aleksej Iwanowitsch!» sprach Pawel Pawlowitsch, wobei er aber Weltschaninoff besonders sanft in die Augen schaute.

«Ab-rech-nen?» fragte mit wachsendem Erstaunen Weltschaninoff. «Ein sonderbares Wort haben Sie da gewählt! Was wollen wir denn ‹abrechnen›? Ha! Ist das etwa Ihr letztes Wort, das Sie mir vorhin versprochen haben?»

«Ja, das ist es.»

«Wir haben nichts mehr miteinander abzurechnen, wir haben längst abgerechnet!» erwiderte stolz Weltschaninoff.

«Glauben Sie wirklich?» sagte Pawel Pawlowitsch mit durchdringender Stimme, wobei er die Hände, Finger gegen Finger, merkwürdig faltete und sich vor die Brust hielt.

Weltschaninoff antwortete nicht und begann wieder im Zimmer auf und ab zu gehen. «Lisa! Lisa!» stöhnte es in seinem Herzen.

«Übrigens: worüber wollen Sie denn abrechnen?» wandte er sich nach längerem Schweigen stirnrunzelnd an seinen Gast. Pawel Pawlowitsch hatte ihn die ganze Zeit über mit den Augen verfolgt und hielt immer noch wie vorhin die Hände gefaltet.

«Fahren Sie nicht mehr dorthin», flüsterte er mit fast flehender Stimme und erhob sich plötzlich vom Stuhl.

«Was? Sie sprechen nur davon?» Weltschaninoff lachte boshaft. «Ich habe heute den ganzen Tag lang über Sie staunen müssen», begann er giftig, aber plötzlich veränderte sich sein ganzes Gesicht. «Hören Sie», sagte er traurig und mit tiefem, aufrichtigem Gefühl, «ich bin der Ansicht, daß ich mich nie in meinem Leben und durch nichts so erniedrigt habe wie heute, zuerst indem ich mich einverstanden erklärt habe, mit Ihnen zu fahren, und dann — durch das, was dort geschehen ist... Das war kleinlich, so arm... Ich habe mich befleckt und gemein gemacht, indem ich mich eingelassen habe, — und ich vergaß... Ach was!» kam er plötzlich zu sich, «Sie haben mich, einen gereizten und kranken Menschen, heute unvermutet überfallen... Ach, ich brauche mich ja gar nicht zu rechtfertigen! Dorthin werde ich nie wieder fahren, und ich versichere Ihnen, ich habe dort keinerlei Interessen», schloß er entschieden.

«Nein, wirklich? Wirklich?» rief Pawel Pawlowitsch, ohne seine freudige Erregung zu verbergen.

Weltschaninoff sah ihn voller Verachtung an und nahm sein Hin- und Herschreiten im Zimmer wieder auf.

«Sie scheinen beschlossen zu haben, um jeden Preis glücklich zu werden?» konnte er sich schließlich nicht enthalten zu bemerken.

«Ja», bestätigte still und naiv Pawel Pawlowitsch.

«Was habe ich eigentlich davon», dachte Weltschaninoff, «daß er ein Narr und nur aus Dummheit boshaft ist? Ich kann ihn trotzdem nicht hassen.»

«Ich bin ein ‹ewiger Gatte›!» sagte jetzt Pawel Pawlowitsch und lächelte demütig-ergeben über sich selbst. «Dieses Wort kannte ich schon längst von Ihnen, Aleksej Iwanowitsch, schon aus der Zeit, als Sie mit uns in T. lebten; ich habe mir viele Ihrer Worte damals gemerkt, im Laufe jenes Jahres. Als Sie neulich sagten: ‹ewiger Gatte› — da habe ich es verstanden.»

Mawra trat mit einer Flasche Champagner und zwei Gläsern ein.

«Entschuldigen Sie, Aleksej Iwanowitsch, Sie wissen, daß ich ohne so etwas nicht sein kann. Fassen Sie es nicht als Frechheit auf, betrachten Sie mich als einen Fremden und Ihrer nicht Würdigen.»

«Meinetwegen . . .» gestattete ihm Weltschaninoff voller Ekel, «aber ich versichere Ihnen, daß ich mich gar nicht gesund fühle . . .»

«Ich mache schnell . . . schnell . . . sofort, eine Minute nur!» Pawel Pawlowitsch geriet in Bewegung. «Nur ein einziges Gläschen, denn der Hals . . .»

Gierig und in einem Zug leerte er das Glas, setzte sich und schaute Weltschaninoff fast zärtlich an. Mawra ging.

«Wie widerlich!» murmelte Weltschaninoff vor sich hin.

«Das sind nur die Freundinnen», sagte Pawel Pawlowitsch plötzlich ganz munter und wurde vollends lebendig.

«Wie? Was? Ach, Sie sprechen noch immer davon . . .»

«Nur die Freundinnen! So ein junges Blut! Aus Übermut sträuben wir uns, jawohl! Es ist sogar reizvoll. Und später — später werde ich ihr Sklave sein; wenn sie die Achtung sehen wird, die ich genieße, die Gesellschaft . . . Sie wird sich ganz wandeln.»

«Ich muß ihm das Armband abgeben!» dachte Weltschaninoff und betastete das Etui in seiner Tasche.

«Sie fragten soeben, ob ich beschlossen hätte, glücklich zu sein. Ich muß heiraten, Aleksej Iwanowitsch», fuhr Pawel Pawlowitsch vertrauensvoll und fast rührend fort, «was soll denn sonst aus mir werden? Sie sehen doch selbst!» — er wies auf die Flasche —, «und das ist nur der hundertste Teil aller meiner Möglichkeiten. Ich kann nun einmal nicht ohne Ehe und ohne — neuen Glauben leben. Ich werde wieder Glauben fassen und werde auferstehen.»

«Warum teilen Sie mir denn das mit?» fragte Weltschaninoff und mußte beinahe lachen. Ihm kam alles ganz verrückt vor.

«So sagen Sie mir doch endlich», schrie er den andern plötzlich an, «warum haben Sie mich dorthin geschleppt? Wozu haben Sie mich denn dort gebraucht?»

143

«Um auf die Probe zu stellen...» sagte Pawel Pawlowitsch und wurde plötzlich verlegen.

«Was auf die Probe zu stellen?»

«Die Wirkung... Sehen Sie, Aleksej Iwanowitsch, es ist erst eine Woche, seit ich dort – suche (er wurde immer verlegener). Gestern begegnete ich Ihnen und dachte: ich habe sie doch noch nie in anderer Leute Gesellschaft gesehen, das heißt in männlicher, außer meiner eigenen... Ein dummer Gedanke, ich sehe es jetzt selbst ein, überflüssig. Aber es hat mich doch zu sehr gereizt, mein schlechter Charakter...»

Er hob plötzlich den Kopf und errötete.

«Spricht er denn tatsächlich die Wahrheit?» dachte Weltschaninoff und staunte derart, daß er völlig erstarrt dastand.

«Nun, und?» fragte er.

Pawel Pawlowitsch lächelte schlau und süßlich.

«Es ist nichts als diese entzückende Kindlichkeit! Alles nur die Freundinnen! Verzeihen Sie mein dummes Benehmen Ihnen gegenüber, Aleksej Iwanowitsch... Das soll nie wieder vorkommen!»

«Ich werde ja nie wieder dort sein», sagte Weltschaninoff lächelnd.

«Ich spreche auch zum Teil im Hinblick darauf.»

Weltschaninoff zog sich innerlich ein wenig zusammen.

«Aber ich bin doch nicht der einzige auf der ganzen Welt», bemerkte er gereizt.

Pawel Pawlowitsch errötete wieder.

«Es betrübt mich, so etwas zu hören, Aleksej Iwanowitsch, und ich – glauben Sie mir, ich verehre Nadeschda Fedossejewna so sehr...»

«Entschuldigen Sie, entschuldigen Sie, ich wollte ja nichts... Es kommt mir nur ein wenig sonderbar vor, daß Sie meine Fähigkeiten so übertrieben hoch bewerten... und... so viel Vertrauen in mich setzen...»

«Eben darum habe ich Vertrauen in Sie gesetzt, weil es nach alledem geschah... was schon gewesen ist.»

«Demnach halten Sie mich auch jetzt für einen edlen Menschen?» Weltschaninoff blieb stehen.

In jedem anderen Augenblick wäre er selbst vor der Naivität seiner plötzlichen Frage zurückgeschreckt.

«Ich habe Sie immer dafür gehalten», sagte Pawel Pawlowitsch und schlug die Augen nieder.

«Nun ja, selbstverständlich ... ich spreche ja nicht davon, nicht in diesem Sinne, — ich wollte nur sagen, daß ... ungeachtet aller Vorurteile!»

«Jawohl, auch ungeachtet aller Vorurteile.»

«Und als Sie auf dem Wege nach Petersburg waren?» Weltschaninoff konnte nicht mehr an sich halten und fühlte selbst die ganze Ungeheuerlichkeit seiner Neugierde.

«Auch als ich auf dem Wege nach Petersburg war, hielt ich Sie für den alleredelsten Menschen. Ich habe Sie immer hoch geachtet, Aleksej Iwanowitsch.»

Pawel Pawlowitsch hob den Blick und sah klar und ohne jede Verlegenheit seinen Gegner an. Eine plötzliche Angst befiel Weltschaninoff: auf keinen Fall wollte er, daß etwas geschehe, was die Grenzen überschritt, um so mehr, als er es selbst herausgefordert hatte.

«Ich habe Sie geliebt, Aleksej Iwanowitsch», ließ Pawel Pawlowitsch sich vernehmen, als hätte er einen Entschluß gefaßt, «und habe Sie das ganze Jahr damals in T. geliebt, aber Sie merkten das nicht», fuhr er mit fast zitternder Stimme fort, worüber Weltschaninoff geradezu entsetzt war. «Ich war zu unbedeutend im Vergleich mit Ihnen, als daß Sie es gemerkt hätten. Und vielleicht war es gar nicht nötig. Alle diese neun Jahre hindurch habe ich Sie nicht vergessen, denn ich habe kein anderes solches Jahr in meinem Leben gekannt. (Pawel Pawlowitschs Augen bekamen einen sonderbaren Glanz.) Viele Ihrer Worte und Aussprüche habe ich behalten, auch Ihre Gedanken. Ich habe Ihrer immer als eines Menschen gedacht, der spontan zu einem guten Gefühl fähig ist, der gebildet ist, ja hochgebildet, und der eigene Gedanken hat. «Große Gedanken kommen nicht so sehr vom großen Verstande als vom großen Gefühl›, haben Sie selbst gesagt, Sie haben es vielleicht vergessen, aber ich habe es mir gemerkt. Und deshalb hoffte ich auf Sie als auf einen Menschen mit großem Gefühl ... und folglich glaubte ich auch ... trotz allem ...»

Sein Kinn begann plötzlich zu zittern. Weltschaninoff war in höchstem Maße betroffen; diesen unvermuteten Tonfall mußte er unterbrechen, um jeden Preis.

«Genug, ich bitte Sie, Pawel Pawlowitsch», murmelte er errötend, ungeduldig und gereizt. «Und warum, warum denn», schrie er ihn unvermutet wieder an, «warum hängen Sie sich auch an einen kranken, reizbaren Menschen, der fast im Fieber handelt, und ziehen ihn in diese Finsternis, während ... während alles ... nur Schatten, Trugbild, Lüge, Schmach und Unnatürlichkeit und — Maßlosigkeit ist, — ja, das ist das Schlimmste, das Schädlichste daran, diese entsetzliche Maßlosigkeit! Und zudem ist es ja Unsinn! Wir sind beide garstige, lasterhafte Hintertreppenmenschen ... Und wenn Sie wollen, werde ich Ihnen beweisen, daß Sie mich nicht nur nicht lieben, sondern hassen, und zwar aus aller Kraft, und daß Sie lügen, ohne es selbst zu wissen: Sie haben mich mitgenommen und dorthin geführt, nicht zu dem lächerlichen Zweck, Ihre Braut auf die Probe zu stellen (wem kommt schon so etwas in den Sinn!). Sie sahen mich gestern, sind *böse* geworden, und Sie haben mich mitgenommen, um mir zu zeigen und mir zu sagen: ‹Siehst du, was für eine das ist! Sie wird die meine sein, nun versuche dich mal hier!› Sie haben mich herausgefordert, vielleicht ohne es selbst zu wissen, aber es war so, denn Sie haben so gefühlt ... Ohne Haß kann man eine solche Herausforderung nicht betreiben ... Folglich haben Sie mich gehaßt!»

Er lief im Zimmer auf und ab, während er das alles schreiend hervorstieß, und am allermeisten quälte und kränkte ihn dabei das erniedrigende Bewußtsein, sich mit einem Pawel Pawlowitsch so tief einzulassen.

«Ich wollte mich mit Ihnen versöhnen, Aleksej Iwanowitsch!»
gab jener in hastigem Flüsterton von sich, und sein Kinn begann wieder zu zittern.

Eine unbezähmbare Wut ergriff Weltschaninoff, als habe
noch niemand ihm je eine ähnliche Beleidigung zugefügt.

«Ich sage Ihnen noch einmal», brüllte er jetzt, «daß Sie sich
an einen kranken und gereizten Menschen hängen, um ihm
ein unbedachtes Wort zu entlocken — im Fieberwahn! Wir —
ja, wir sind Menschen verschiedener Welten, sehen Sie es doch
endlich ein! Und — zwischen uns steht ein Grab!» zischte er
wuterfüllt und kam mit einem Mal zur Besinnung.

«Und wissen Sie denn» — Pawel Pawlowitschs Gesicht erblaßte
plötzlich und war vollständig entstellt —, «wissen Sie denn,
was dieses Grab hier bedeutet — bei mir!» schrie er, auf Weltschaninoff eindringend und in einer lächerlichen, aber entsetzlichen Geste mit der Faust an sein Herz schlagend. «Ich kenne
dieses Grab, und wir zwei stehen zu beiden Seiten dieses
Grabes, aber auf meiner Seite ist mehr als auf der Ihren, viel
mehr...» flüsterte er wie im Fieberwahn und fuhr fort, sich
gegen die Brust zu schlagen, «mehr, mehr, mehr...»

Ein plötzliches Reißen an der Türglocke zwang die beiden,
zu sich zu kommen. So stark wurde geklingelt, als habe
jemand sich das Ehrenwort gegeben, beim ersten Zug die Glocke
herunterzuzerren.

«Solch ein Klingeln kann nicht für mich sein», flüsterte Weltschaninoff verwirrt.

«Aber doch auch nicht für mich», murmelte schüchtern Pawel
Pawlowitsch, der ebenfalls zur Besinnung gekommen war und
sich im Nu in den früheren Pawel Pawlowitsch zurückverwan-
delt hatte.

Weltschaninoff runzelte die Stirn und ging hinaus, um die
Tür zu öffnen.

«Herr Weltschaninoff, wenn ich nicht irre?» ertönte eine junge,
klangvolle und ungewöhnlich selbstsichere Stimme aus dem
Vorzimmer.

«Sie wünschen?»

«Ich habe zuverlässige Nachricht», fuhr die klangvolle Stimme fort, «daß ein gewisser Trussozkij sich im Augenblick bei Ihnen befindet. Ich muß ihn unbedingt sofort sehen.»

Selbstverständlich wäre es Weltschaninoff ein Vergnügen gewesen, diesen selbstsicheren Herrn mit einem Fußtritt auf den Treppenabsatz zu befördern. Aber er überlegte es sich, wich zur Seite und ließ ihn eintreten:

«Hier ist Herr Trussozkij, kommen Sie, bitte ...»

XIV. SASCHENKA UND NADJENKA

Ins Zimmer trat ein sehr junger Mensch, etwa neunzehn Jahre alt, vielleicht sogar noch weniger — so kindlich sah sein hübsches, selbstbewußt zurückgeworfenes Gesicht aus. Er war etwas über Mittelgröße und nicht übel gekleidet, wenigstens saß alles an ihm ausgezeichnet. Die dichten schwarzen, in unordentlichen Strähnen herabfallenden Haare und die großen kühnen und dunklen Augen fielen besonders an ihm auf. Nur die Nase war etwas breit und strebte nach oben. Sonst hätte man ihn einen wirklich hübschen Jüngling nennen können. Er trat gewichtig ein.

«Ich habe hier wohl die Gelegenheit, mit Herrn Trussozkij zu sprechen», begann er gemessen und hob mit besonderem Nachdruck das Wort «Gelegenheit» hervor, womit er kundtat, daß ein Gespräch mit Herrn Trussozkij für ihn weder Ehre noch Vergnügen bedeuten konnte.

Weltschaninoff fing an zu begreifen. Auch in Pawel Pawlowitsch schien es zu dämmern. Im übrigen hielt er sich einwandfrei.

«Ich habe nicht die Ehre, Sie zu kennen», erwiderte er gesetzt, «und nehme an, daß ich mit Ihnen nichts zu tun haben kann.»

«Zuerst werden Sie mich anhören, und dann erst werden Sie Ihre Meinung sagen», erwiderte selbstsicher und zurechtweisend der junge Mann, ergriff sein schildpattgefaßtes Lorgnon, das er an einer Schnur befestigt trug, und richtete es auf den Tisch und die Champagnerflasche. Als er in aller Ruhe die Flasche betrachtet hatte, schob er das Lorgnon wieder zusammen und sagte, zu Pawel Pawlowitsch gewandt:

«Alexander Ljubow.»

«Was ist denn das: Alexander Ljubow?»

«Das bin ich. Haben Sie noch nie von mir gehört?»

«Nein.»

«Nun, woher sollten Sie es auch. Ich komme in einer wichtigen Angelegenheit, die Sie angeht. Aber gestatten Sie, daß ich mich setze, ich bin sehr müde . . .»

«Nehmen Sie Platz», lud Weltschaninoff ihn ein, aber der junge Mann hatte sich schon gesetzt, ehe Weltschaninoff die Aufforderung ausgesprochen hatte.

Ungeachtet der zunehmenden Schmerzen in seiner Brust interessierte dieser kleine Frechdachs Weltschaninoff sehr. In seinem jungen, kindlichen, rotbackigen Gesicht glaubte er eine entfernte Ähnlichkeit mit Nadja wahrzunehmen.

«Setzen auch Sie sich», schlug der Jüngling Pawel Pawlowitsch vor und wies ihm mit einer nachlässigen Kopfbewegung den Platz gegenüber an.

«Nein, nein, ich werde stehen.»

«Sie werden müde werden. Sie, Herr Weltschaninoff, brauchen übrigens keineswegs fortzugehen.»

«Ich wüßte auch nicht, wohin, ich bin bei mir zu Hause.»

«Wie Sie wollen. Offen gestanden wünsche ich sogar, daß Sie bei meiner Auseinandersetzung mit diesem Herrn zugegen sind. Nadeschda Fedossejewna hat Sie mir recht schmeichelhaft empfohlen.»

«So! Wann hat sie denn dazu Zeit gefunden?»

«Gleich nachdem Sie fort waren. Ich komme doch auch von dort. Also, Herr Trussozkij», damit wandte er sich an den stehenden Pawel Pawlowitsch, «wir, das heißt Nadeschda Fedossejewna und ich, lieben einander schon seit langem», sagte er mit fast geschlossenen Lippen und räkelte sich im Sessel, «und haben uns gegenseitig das Jawort gegeben. Jetzt tauchen Sie als Hindernis zwischen uns auf. Ich bin gekommen, um Sie aufzufordern, das Feld zu räumen. Belieben Sie auf meinen Vorschlag einzugehen?»

Pawel Pawlowitsch wankte vor Wut und erblaßte, aber ein spöttisch-boshaftes Lächeln trat sogleich auf seine Lippen.

«Nein, ich beliebe keineswegs», schnitt er lakonisch ab.

«So, so!» sagte der Jüngling und schlug ein Bein über das andere.

«Ich weiß nicht einmal, mit wem ich rede», fügte Pawel Pawlowitsch hinzu, «und ich denke sogar, daß es nichts gibt, worüber wir noch weiter zu sprechen hätten.»

Als er das gesagt hatte, fand er es angebracht, sich zu setzen.

«Sagte ich Ihnen nicht, Sie würden ermüden», warf der junge Mann so nebenbei hin. «Ich hatte eben Gelegenheit, Sie davon in Kenntnis zu setzen, daß mein Name Alexander Ljubow ist und daß ich und Nadeschda Fedossejewna einander das Jawort gegeben haben, — folglich können Sie nicht behaupten, wie Sie eben getan haben, daß Sie nicht wüßten, mit wem Sie reden. Ebenfalls können Sie nicht denken, daß wir nichts miteinander zu besprechen hätten: ich rede nicht von mir, — es betrifft jetzt Nadeschda Fedossejewna, die Sie so aufdringlich belästigen. Und allein diese Tatsache gibt schon genügend Anlaß zu einer Aussprache.»

Das alles preßte er mit einer Einbildung zwischen eng aufeinanderliegenden Lippen hervor, als hielte er den Gesprächspartner dieser Worte kaum für würdig. Er holte sogar sein Lorgnon wieder hervor, richtete es einen Augenblick lang auf irgend etwas und fuhr fort zu sprechen.

«Erlauben Sie mal, junger Mann —» wollte Pawel Pawlowitsch gereizt beginnen, aber der «junge Mann» versetzte ihm gleich einen Dämpfer.

«Zu jeder anderen Zeit würde ich Ihnen natürlich verbieten, mich einen ‹jungen Mann› zu nennen, aber jetzt — Sie müssen es selbst zugeben — ist meine Jugend mein Hauptvorzug vor Ihnen. Leugnen Sie es nicht, daß Sie es sich sehr gewünscht haben, zum Beispiel heute, als Sie das Armband überreichten, wenigstens ein Spürchen jünger zu sein.»

«Ach, du Grünschnabel!» murmelte Weltschaninoff.

«Jedenfalls, werter Herr», begann Pawel Pawlowitsch, der seine Fassung wiedergewonnen hatte, würdevoll, «finde ich alles, was Sie vorbringen, höchst unanständig und anzweifelbar, und es reicht nicht aus, eine Unterhaltung darüber fortzusetzen. Ich sehe, daß das Ganze kindisch und unsinnig ist. Gleich morgen werde ich mich beim verehrten Fedossej Petrowitsch erkundigen, und jetzt bitte ich Sie, uns von Ihrer Gegenwart zu befreien!»

«Da sehen Sie die Geistesart dieses Menschen!» rief der Jüngling, sogleich aus der Rolle fallend, und wandte sich lebhaft an Weltschaninoff. «Nicht genug, daß man ihn davonjagt und hinter ihm die Zunge herausstreckt — er will uns noch morgen beim Alten anschwärzen! Beweisen Sie denn damit etwa nicht, daß Sie das Mädchen gewaltsam nehmen wollen, Sie eigensinniger Mensch, daß Sie sie kaufen wollen von Leuten, die den Verstand eingebüßt und als Folge sozialer Barbarei Gewalt haben über sie? Sie hat Ihnen doch, glaube ich, deutlich genug zu verstehen gegeben, wie sehr sie Sie verachtet. Sie haben doch Ihr unanständiges Geschenk, Ihr Armband, zurückerhalten? Was wollen Sie denn noch mehr?»

«Ich habe kein Armband zurückerhalten, außerdem kommt das ja gar nicht in Frage!» sagte Pawel Pawlowitsch und zuckte zusammen.

«Wieso kommt das gar nicht in Frage? Hat Herr Weltschaninoff Ihnen denn nichts übergeben?»

«Ach, der Teufel soll dich holen!»

«Wirklich», sprach Weltschaninoff stirnrunzelnd, «Nadeschda Fedossejewna hat mich beauftragt, Ihnen dieses Etui zu übergeben. Ich wollte es nicht nehmen ... aber sie bat mich darum ... Hier ist es ... Es tut mir leid ...»

Er holte das Etui hervor und legte es verlegen vor den erstarrten Pawel Pawlowitsch.

«Warum haben Sie es denn bis jetzt noch nicht übergeben?» wandte sich der junge Mann streng an Weltschaninoff.

«Wahrscheinlich hatte ich noch keine Gelegenheit dazu», erwiderte dieser stirnrunzelnd.

«Das ist sonderbar.»

«Waaas?»

«Zum mindesten ist es sonderbar, das müssen Sie selbst zugeben. Ich bin übrigens bereit anzunehmen, daß hier ein Mißverständnis vorliegt.»

Weltschaninoff verspürte eine fast unbezwingliche Lust, aufzustehen und den Bengel an den Ohren zu ziehen, andererseits konnte er nicht an sich halten und platzte mit hellem Gelächter heraus. Auch der Junge fing gleich zu lachen an. Nicht so Pawel Pawlowitsch. Hätte Weltschaninoff den schrecklichen Blick auf sich gespürt, während er über den anderen lachte, er hätte verstanden, daß dieser Mensch eben jetzt eine schicksalsschwere Grenze überschritt ... Aber Weltschaninoff fühlte, obschon er den Blick nicht gesehen hatte, daß Pawel Pawlowitsch jetzt unterstützt werden mußte.

«Hören Sie, Herr Ljubow», begann er, «ohne auf alle übrigen Punkte einzugehen, möchte ich Ihnen zu bedenken geben, daß Pawel Pawlowitsch bei seiner Werbung um Nadeschda Fedossejewna doch immerhin etwas mitbringt: erstens seine uralte Bekanntschaft mit dieser ehrenwerten Familie, zweitens eine vorzügliche und achtenswerte soziale Stellung und schließlich auch ein Vermögen; folglich muß er sich wundern, einen solchen Nebenbuhler vor sich zu haben wie Sie, einen Menschen mit möglicherweise großen Vorzügen, aber von solcher Jugend, daß er Sie unmöglich als ernsthaften Rivalen ansehen kann ... Und darum ist er auch im Recht, wenn er Sie bittet, das Gespräch abzubrechen.»

152

«Was soll das eigentlich heißen: ‹von solcher Jugend›? Seit einem Monat bin ich neunzehn Jahre alt. Laut Gesetz kann ich längst heiraten. Damit ist alles gesagt.»

«Aber welch ein Vater wird sich denn entschließen, Ihnen jetzt seine Tochter zu geben, — selbst wenn Sie ein zukünftiger Multimillionär wären oder ein Wohltäter der Menschheit? Ein Mensch von neunzehn Jahren kann ja kaum für sich selbst die Verantwortung tragen, und Sie wollen die Verantwortung für die Zukunft einer Frau auf Ihr Gewissen nehmen! Das heißt für die Zukunft eines ebensolchen Kindes, wie Sie eines sind. Das ist sogar nicht einmal ganz edel, oder was meinen Sie dazu? Ich habe mir gestattet, mich darüber zu äußern, weil Sie sich vorhin selbst an mich als Vermittler zwischen Ihnen und Pawel Pawlowitsch gewandt haben.»

«Ach ja, er heißt Pawel Pawlowitsch!» bemerkte der Jüngling. «Warum dachte ich denn immer, er hieße Wassilij Petrowitsch...? Also», wandte er sich an Weltschaninoff, «Sie haben mich keineswegs in Erstaunen versetzt, ich wußte, daß ihr alle so seid! Immerhin ist es sonderbar, daß man Sie mir als modernen Menschen geschildert hat. Die Hauptsache aber ist, daß da nicht nur nichts Unedles meinerseits vorliegt, sondern vielmehr das Gegenteil. Wir haben uns erstens gegenseitig das Jawort gegeben, und außerdem habe ich vor zwei Zeugen versprochen, ihr, sobald sie sich in einen anderen verlieben oder einfach bereuen sollte, mich geheiratet zu haben, und sich scheiden lassen will, sofort eine schriftliche Erklärung zu geben, in der ich mich dazu bekenne, die Ehe gebrochen zu haben, und somit ihr Gesuch um Scheidung der Ehe unterstütze. Dessen nicht genug: zur Sicherheit wurde beschlossen, daß ich ihr am Tage unserer Hochzeit einen Wechsel über hunderttausend Rubel ausstelle, damit sie im Fall einer Weigerung meinerseits, besagte Erklärung abzugeben, ihn sofort präsentieren kann — und ich bin geschlagen! So ist für alles gesorgt, und ich setze keines Menschen Zukunft aufs Spiel. Das wäre das erste.»

«Ich wette, das hat dieser, wie heißt er doch ... dieser Predpossyloff ausgeheckt!» rief Weltschaninoff.

«Hi-hi-hi!» kicherte Pawel Pawlowitsch giftig.

«Warum kichert dieser Herr? — Sie haben richtig geraten, es ist Predpossyloffs Idee. Und geben Sie zu, daß sie gut ist. Das unsinnige Gesetz ist vollkommen lahmgelegt. Selbstredend habe ich die Absicht, sie immer zu lieben, und sie lacht wahnsinnig, — aber es ist doch immerhin geschickt, und — geben Sie zu — edelmütig ist es auch, nicht jeder würde sich entschließen, so zu handeln.»

«Meiner Meinung nach ist es nicht nur nicht edel, sondern auch noch widerlich.»

Der junge Mann zuckte die Achseln.

«Wiederum wundern mich Ihre Worte gar nicht», bemerkte er nach kurzem Schweigen, «alles hat schon längst aufgehört, mich zu wundern. Predpossyloff, der hätte Ihnen schlankweg gesagt, daß eine solche Verständnislosigkeit den natürlichsten Dingen gegenüber nur von der Entartung Ihrer natürlichsten Gefühle und Begriffe kommt, und zwar erstens durch die Sinnlosigkeit Ihres Lebens und zweitens durch langen Müßiggang. Übrigens, vielleicht verstehen wir einander noch nicht ganz, man hat mir von Ihnen immerhin sehr gut gesprochen ... Sie sind doch wohl schon fünfzig Jahre alt?»

«Kommen Sie bitte zur Sache.»

«Verzeihen Sie meine Aufdringlichkeit und ärgern Sie sich nicht, ich habe es ohne böse Absicht gesagt. Also ich fahre fort: ich bin gar kein zukünftiger Multimillionär, wie Sie sich auszudrücken beliebten, — wie kommen Sie nur auf diesen Einfall! Was ich bin, das sehen Sie hier vor sich, aber meine Zukunft steht sicher vor mir. Weder ein Held noch ein Wohltäter werde ich sein, aber für mich und meine Frau werde ich sorgen können. Natürlich, heute habe ich nichts, ich bin sogar in ihrem Hause aufgewachsen, von Kindheit an ...»

«Wieso?»

«Sehen Sie, ich bin der Sohn eines entfernten Verwandten

154

von Frau Sachlebinin, und als meine Familie starb und mich achtjährig zurückließ, nahm der Alte mich zu sich und schickte mich sogar aufs Gymnasium. Dieser Mensch ist gutherzig, wenn Sie das wissen wollen...»

«Ich weiß.»

«Ja, aber auch ein sehr rückständiger Kopf, im übrigen jedoch sehr gütig. Jetzt stehe ich natürlich schon längst nicht mehr unter seiner Vormundschaft, denn ich wünsche mir selbst mein Leben zu verdienen und nur mir selbst Dank schuldig zu sein.»

«Seit wann sind Sie nicht mehr unter seiner Vormundschaft?» erkundigte sich Weltschaninoff neugierig.

«Es werden jetzt etwa vier Monate sein.»

«Ah, dann ist alles sehr verständlich: seit frühester Kindheit befreundet. — Haben Sie etwa eine Anstellung?»

«Ja, im Büro eines Notars, fünfundzwanzig im Monat. Das aber nur vorübergehend. Als ich mich dort um die Stelle bewarb, hatte ich nicht einmal so viel. Damals arbeitete ich an der Eisenbahn für zehn Rubel, aber alles das ist nur vorübergehend.»

«Haben Sie denn auch schon richtig um sie angehalten?»

«In aller Form und schon längst, vor etwa drei Wochen.»

«Und?»

«Der Alte brach in Lachen aus, wurde aber dann sehr böse und hat sie in ihr Zimmer gesperrt. Doch Nadja hielt heldenhaft durch. Übrigens ist der ganze Mißerfolg darauf zurückzuführen, daß er schon vor dem Antrag nicht gut auf mich zu sprechen war, weil ich eine Anstellung im Departement aufgegeben habe, an die er mich empfohlen hatte, vor vier Monaten, noch ehe ich zur Eisenbahn ging. Er ist ein angenehmer Alter, ich wiederhole das nochmals, zu Hause ist er schlicht und heiter, aber kaum ist er im Amt — Sie werden es nicht glauben! Als säße dort ein Jupiter! Ich gab ihm selbstredend zu verstehen, daß seine Art mir nicht mehr gefalle, aber ins Rollen kam alles hauptsächlich durch den Gehilfen des Bürovorstandes: Diesem Herrn fiel es ein, sich darüber zu beklagen, daß ich ihm angeblich ‹grob› gekommen sei, dabei habe ich ihm nur gesagt, er sei beschränkt. Da habe ich alles fahren lassen, und jetzt bin ich beim Notar.»

«Haben Sie im Departement viel Gehalt bezogen?»

«Ach — ich war doch überzählig! Der Alte gab mir zum Leben, — ich sage Ihnen ja, er ist herzensgut, aber wir werden dennoch nicht nachgeben. Natürlich, mit fünfundzwanzig Rubel ist kein Auskommen, doch ich hoffe, bald an der Verwaltung der zerrütteten Güter des Grafen Sawilejskij teilnehmen zu können, dann komme ich sofort auf dreitausend. Sonst gehe ich unter die Rechtsanwälte. Heute sind Menschen gesucht . . . Oh, welch ein Donner! Es kommt ein Gewitter. Gut, daß ich vor dem Unwetter hier angekommen bin. Ich komme nämlich zu Fuß von dort, fast den ganzen Weg bin ich gelaufen.»

«Aber erlauben Sie, wann haben Sie denn Zeit gefunden, mit Nadeschda Fedossejewna zu sprechen, wenn Sie noch dazu im Hause nicht empfangen werden?»

«Ach, man kann doch auch über den Zaun kommen! Die Rothaarige — ist sie Ihnen aufgefallen?» fragte er lachend. «Nun, sie bemüht sich für uns und auch Marja Nikitischna, aber das ist mir eine Schlange, diese Marja Nikitischna! — He, was ist denn mit Ihnen los? Haben Sie etwa Angst vor dem Gewitter?»

«Nein, ich bin krank, sehr krank . . .»

Weltschaninoff, der tatsächlich von einem neuen Schmerzanfall in der Brust heimgesucht wurde, war aufgestanden und versuchte im Zimmer ein wenig auf und ab zu gehen.

«Oh, in dem Fall störe ich natürlich . . . Beunruhigen Sie sich nicht, ich gehe gleich!» Der Jüngling sprang vom Stuhl auf.

«Sie stören gar nicht», widersprach Weltschaninoff aus Höflichkeit.

«Wieso gar nicht, wenn ‹Kobylnikoff Bauchschmerzen hat› . . . Erinnern Sie sich, bei Schtschedrin? Lieben Sie Schtschedrin?»

«Ja.»

«Ich auch. Also, Wassilij — ach nein, richtig — Pawel Pawlowitsch, lassen Sie uns zum Schluß kommen!» Er wandte sich
fast lachend an Pawel Pawlowitsch. «Ich formuliere meine
Frage noch einmal, damit Sie besser verstehen: Sind Sie bereit,
morgen ganz offiziell vor dem Alten und in meiner Gegenwart
allen Ansprüchen auf Nadeschda Fedossejewna zu entsagen?»
«Nicht im geringsten bin ich dazu bereit!» Pawel Pawlowitsch
erhob sich ungeduldig und erbost von seinem Platz. «Zudem
bitte ich nochmals, mich von Ihrer Gegenwart zu befreien...
Das sind ja alles Kindereien und Dummheiten...»
«Geben Sie acht», drohte ihm der Jüngling mit erhobenem
Finger und lächelte hochmütig, «daß Sie keinen Fehler in
Ihren Berechnungen machen! Wissen Sie, wozu solch ein Fehler führen kann? Ich warne Sie! Und Sie werden sehen, daß
Sie genötigt sein werden, von sich aus auf Nadeschda Fedossejewna zu verzichten, wenn Sie nach neun Monaten zurückkommen, nachdem Sie bereits für Ihr neues Heim Ausgaben
gemacht und sich abgemüht haben werden... Und wenn Sie
es dann doch nicht tun, wird es Ihnen noch schlimmer ergehen.
So weit werden Sie die Sache noch bringen! Ich muß Sie darauf
aufmerksam machen, daß Sie sich jetzt benehmen wie ein
Hund auf einem Heuhaufen: Sie fressen selbst nicht, lassen
aber auch andere nicht heran. Ich wiederhole aus purer Men-
schenliebe: überlegen Sie sich's, zwingen Sie sich wenigstens
einmal im Leben dazu, gründlich zu überlegen!»
«Ich bitte Sie, mich mit Ihrer Moral zu verschonen!» schrie
Pawel Pawlowitsch in höchster Wut. «Und was Ihre gemeinen
Anspielungen betrifft, so werde ich gleich morgen meine Maßnahmen ergreifen, die allerstrengsten Maßnahmen!»
«Gemeine Anspielungen? Wovon sprechen Sie? Selbst sind
Sie gemein, wenn so etwas in Ihrem Hirn entsteht! Übrigens,
ich bin bereit, bis morgen zu warten, aber wenn — ach, schon
wieder dieser Donner! Auf Wiedersehen, freue mich sehr, Ihre
Bekanntschaft gemacht zu haben», sagte er zu Weltschaninoff
und lief davon, um nicht in den Regenguß zu geraten.

XV. DIE ABRECHNUNG

«Haben Sie gesehen? Haben. Sie gesehen?» rief Pawel Pawlowitsch und sprang auf Weltschaninoff zu, kaum daß der Jüngling hinausgegangen war.

«Ja, Sie haben Pech!» entschlüpfte es Weltschaninoff.

Er hätte das Wort nicht gesagt, wenn der anschwellende Schmerz in der Brust ihn nicht gequält und erbost hätte. Pawel Pawlowitsch zuckte zusammen, als wäre er verbrüht worden.

«Nun, Sie haben mir wohl aus Mitgefühl das Armband nicht zurückgegeben — he?»

«Ich kam nicht dazu . . .»

«Von Herzen mitfühlend, wie ein aufrichtiger Freund mit einem aufrichtigen Freund?»

«Nun ja, mitfühlend . . .» sagte Weltschaninoff verärgert.

Er erzählte jedoch in Kürze, wie er das Armband erhalten und Nadeschda Fedossejewna ihn beinahe mit Gewalt überredet hatte, sich der Sache anzunehmen . . .

«Sie verstehen, daß ich es um keinen Preis nehmen wollte, ich habe schon ohnehin so viele Unannehmlichkeiten!»

«Haben sich aber doch hinreißen lassen und es genommen», kicherte Pawel Pawlowitsch.

«Wie dumm von Ihnen! Übrigens muß man Ihnen verzeihen, Sie haben doch selbst gesehen, daß nicht ich in dieser Angelegenheit die Hauptperson bin, sondern andere!»

«Aber Sie haben sich doch hinreißen lassen!»

Pawel Pawlowitsch setzte sich und schenkte sich ein Glas voll.

«Sie glauben, daß ich dem Bengel nachgeben werde? Krummbiegen werde ich ihn, bis er wie ein Bockshorn aussieht! Das werde ich tun! Gleich morgen fahre ich hin und biege ihn krumm! Wir werden dieses Gestänklein schon aus dem Kinderzimmer räuchern . . .»

Fast auf einen Zug leerte er das Glas und füllte es gleich wieder. Überhaupt begann er sich mit einer an ihm bisher nicht gewohnten Zwanglosigkeit zu benehmen.

«Sieh mal einer an, Saschenka und Nadjenka, was für liebe Kinder . . . hi-hi-hi!»

Er kannte sich selbst nicht mehr vor Wut. Wieder dröhnte ein starker Donnerschlag, ein Blitz zuckte auf, und der Regen schüttete nieder wie aus Eimern. Pawel Pawlowitsch erhob sich und schloß das offene Fenster.

«Vorhin fragte er Sie: ‹Haben Sie etwa vor Gewitter Angst?› Hi-hi! Weltschaninoff und Gewitter fürchten! Kobylnikoff — wie war das doch — Kobylnikoff . . . Und das von den fünfzig Jahren, wie? Erinnern Sie sich?» stichelte Pawel Pawlowitsch giftig.

«Sie haben sich hier aber breitgemacht!» bemerkte Weltschaninoff. «Ich lege mich hin . . . Sie können machen, was Sie wollen.»

«Bei so einem Wetter würde man keinen Hund vor die Tür jagen!» fiel Pawel Pawlowitsch beleidigt ein, schien aber froh zu sein, einen Grund für dieses Beleidigtsein zu haben.

«Nun gut, bleiben Sie, trinken Sie . . . übernachten Sie meinetwegen hier!» lallte Weltschaninoff, streckte sich auf dem Diwan aus und stöhnte leise vor sich hin.

«Übernachten? Werden Sie keine Angst haben?»

«Wovor?» Weltschaninoff hob plötzlich den Kopf.

«Nun, ich meine nur. Das letzte Mal schienen Sie sich zu fürchten, oder kam es mir nur so vor . . .»

«Sie sind dumm!» sagte Weltschaninoff, der nicht mehr an sich halten konnte, und drehte sich voller Wut zur Wand um.

«Nun gut», ließ Pawel Pawlowitsch sich vernehmen.

Eine Minute nachdem er sich hingelegt hatte, war der Kranke bereits eingeschlafen. Bei seiner ohnehin schon untergrabenen Gesundheit ließ die unnatürliche Spannung des ganzen Tages so plötzlich nach, daß er schwach war wie ein Kind. Aber eine Stunde später nahmen die Schmerzen überhand und besiegten

Müdigkeit und Schlaf. Er erwachte und erhob sich mit großer Mühe vom Diwan. Das Gewitter hatte sich beruhigt. Das Zimmer war verraucht und die Flasche leer. Pawel Pawlowitsch schlief auf dem anderen Diwan. In Kleidern und die Schuhe an den Füßen, lag er mit dem Gesicht nach unten, den Kopf in ein Kissen vergraben. Das Lorgnon, das ihm aus der Tasche gerutscht war, hing an seinem Band fast bis auf den Boden hinunter. Der Hut lag daneben. Weltschaninoff schaute seinen Gast finster an, weckte ihn aber nicht. Zusammengekrümmt und stöhnend ging er im Zimmer auf und ab, denn zum Niederlegen hatte er keine Kraft mehr.

Er fürchtete seine Schmerzen in der Brust, und nicht ohne Grund. Diese Anfälle hatten bei ihm schon vor langer Zeit angefangen, suchten ihn aber selten heim, nur in Abständen von ein oder zwei Jahren. Er wußte, daß sie von der Leber kamen. Zuerst trat an irgendeiner Stelle der Brust unter der Herzgrube, oder etwas höher, ein dumpfer, nicht sehr starker, aber entnervender Druck auf. Im Verlauf von etwa zehn Stunden unausgesetzt anwachsend, erreichte der Schmerz eine solche Kraft, der Druck wurde derart unerträglich, daß der Kranke sich dem Tod nahe glaubte. Beim letzten Anfall, den er vor etwa einem Jahr gehabt hatte, war er nach zehnstündigem und schließlich nachlassendem Schmerz so schwach geworden, daß er, im Bett liegend, kaum mehr die Hände hatte bewegen können. Der Arzt verordnete ihm damals, den ganzen Tag über nur einige Löffel schwachen Tees und ein paar in Bouillon aufgeweichte Brotbröckchen zu sich zu nehmen, wie ein Säugling. Bei den verschiedensten und scheinbar ganz zufälligen Anlässen traten diese Schmerzen in Erscheinung, aber immer war ihnen eine Schwächung des Nervensystems vorangegangen. Auch verschwanden sie auf seltsame Weise: manchmal gelang es, sie ganz im Anfang zu erfassen, in der ersten halben Stunde, und ihnen mit heißen Umschlägen zu begegnen, dann verging alles im Nu; manchmal aber half nichts, wie beim letzten Anfall, als der Schmerz nur nach wiederholtem Einnehmen von Brechmitteln nachgelassen hatte. Der Arzt gestand ihm später, er habe fest an eine Vergiftung geglaubt. Jetzt war es noch lange bis zum Morgen, und er wollte den Arzt so mitten in der Nacht nicht holen lassen. Außerdem liebte er Ärzte nicht. Schließlich konnte er es nicht mehr aushalten und begann laut zu stöhnen, wovon Pawel Pawlowitsch erwachte. Er setzte sich auf und saß eine Weile so, während er voll Schrecken hinhörte und mit den Augen verständnislos Weltschaninoff folgte, der fast im Laufschritt durch beide Zimmer rannte. Die geleerte Flasche hatte offenbar ungewöhnlich stark auf ihn gewirkt, und er konnte lange nicht zu sich kommen. Schließlich begriff er und stürzte zu Weltschaninoff hin. Dieser lallte nur etwas als Antwort.

«Das kommt von der Leber, ich kenne das!» Pawel Pawlowitsch wurde plötzlich ungeheuer lebhaft. «Pjotr Kusmitsch — Herr Polossuchin hat es genauso gehabt, von der Leber. Das müßte man mit heißen Umschlägen... Pjotr Kusmitsch hat immer mit heißen Umschlägen... Daran kann man ja sterben! Ich laufe zu Mawra hinunter, wie?»

«Nicht nötig, nicht nötig!» winkte Weltschaninoff gereizt ab. «Nichts ist nötig!»

Aber Pawel Pawlowitsch war, weiß Gott weshalb, ganz außer sich, als ginge es um die Rettung seines leiblichen Sohnes. Er hörte gar nicht hin, bestand auf heißen Umschlägen und dazu noch auf zwei bis drei Tassen heißen, schwachen Tees, die schnell getrunken werden mußten — «aber nicht einfach heiß — kochend!» Er lief zu Mawra hinunter, ohne Weltschaninoffs Einverständnis abzuwarten, machte selbst Feuer in der Küche, die sonst unbenutzt und leer stand, und brachte den Samowar zum Kochen. Dazwischen fand er Zeit, den Kranken ins Bett zu legen, ihm die Kleider auszuziehen, ihn in eine Decke zu wickeln, und noch waren keine zwanzig Minuten vergangen, als er schon den Tee fertig und den ersten Umschlag bereit hatte.

«Da sind heiße Teller, glühend!» rief er fast in Verzückung, während er den erhitzten und in eine Serviette eingewickelten Teller auf Weltschaninoffs kranke Brust legte. «Andere Umschläge haben wir jetzt nicht, und es dauert zu lange, sie zu beschaffen, und die Teller, ich schwöre es bei meiner Ehre, werden sogar besser sein: an Pjotr Kusmitsch habe ich es erprobt, eigenhändig und mit eigenen Augen. Man kann ja sterben daran! Trinken Sie den Tee, macht nichts, wenn Sie sich verbrühen. Das Leben ist wichtiger als — die Eitelkeit.» Die verschlafene Mawra hatte vollständig die Fassung verloren. Die Teller wurden alle drei Minuten gewechselt. Nach dem dritten Teller und der zweiten Tasse kochendheißen Tees, die er in einem Zuge hinuntergoß, fühlte Weltschaninoff plötzlich eine Erleichterung.

«Nun haben wir den Schmerz ins Wanken gebracht, das ist ein gutes Zeichen, Gott sei's gedankt!» rief Pawel Pawlowitsch und lief freudig davon, um einen neuen Teller und eine weitere Tasse Tee zu holen.

«Wenn es uns nur gelingt, den Schmerz zu brechen! Wenn wir den Schmerz nur zum Umkehren zwingen können!» wiederholte er alle Augenblicke.

Nach einer halben Stunde war der Schmerz ganz schwach, aber der Kranke derart abgequält, daß er trotz aller Bitten Pawel Pawlowitschs sich weigerte, noch «*einen* Teller» auszuhalten. Die Augen fielen ihm zu vor Schwäche.

«Schlafen, schlafen», wiederholte er mit matter Stimme.

«Auch gut!» erklärte Pawel Pawlowitsch sich einverstanden. «Übernachten Sie hier... Wieviel ist die Uhr?»

«Bald zwei, ein Viertel vor.»

«Übernachten Sie hier...»

«Ich bleibe, ich bleibe.»

Einen Augenblick später rief der Kranke wieder nach Pawel Pawlowitsch.

«Sie, Sie —» murmelte er, als dieser zu ihm stürzte und sich über ihn beugte, «Sie sind besser als ich! Ich verstehe alles... alles... ich danke Ihnen!»

«Schlafen Sie, schlafen Sie», flüsterte Pawel Pawlowitsch und begab sich auf Zehenspitzen zu seinem Diwan.

Verdämmernd hörte der Kranke noch, wie Pawel Pawlowitsch leise und flüchtig sich sein Bett richtete, die Kleider auszog, schließlich die Kerzen löschte und kaum atmend, um keinen Lärm zu machen, sich auf seinem Diwan ausstreckte.

Zweifellos war Weltschaninoff gleich, als Pawel Pawlowitsch die Kerzen gelöscht hatte, in tiefen Schlaf gefallen: er konnte sich nachher klar daran erinnern. Aber während der ganzen Dauer des Schlafes bis zu dem Augenblick, da er erwachte, träumte er, daß er nicht schlafe und auch nicht einschlafen könne, trotz der großen Schwäche. Schließlich träumte er, er fange an, bei Bewußtsein zu phantasieren, und sei ganz und gar nicht in der Lage, die um ihn sich drängenden Erscheinungen zu bannen, obwohl ihm voll bewußt war, daß es sich um reine Phantasiegebilde und nicht um wirkliche Wesen handle. Diese Gebilde waren ihm alle auf seltsame Art bekannt; sein Zimmer schien bis an den Rand mit Menschen gefüllt, und die Tür in den Vorraum stand weit offen. In Scharen kamen sie herein, und viele drängten sich noch auf der Treppe. Am Tisch, der in die Mitte des Zimmers gerückt war, saß ein Mann — genau wie damals in dem ähnlichen Traum, den er vor einem Monat gehabt hatte. Ebenso wie damals saß der Mann aufgestützt da und wollte nicht sprechen; aber jetzt trug er einen runden Hut mit Trauerflor. «Wie? War es am Ende auch damals Pawel Pawlowitsch?» dachte Weltschaninoff, wobei er ihm ins Gesicht schaute und entdeckte, daß es jemand ganz anderer war. «Warum trägt er denn einen Trauerflor?» fragte er sich. Der Lärm und das Geschrei der Leute, die sich um den Tisch drängten, war ohrenbetäubend. Es schien, daß diese Menschen gegen Weltschaninoff noch erboster waren als damals in dem anderen Traum. Sie drohten ihm mit Fäusten und schrien ihm aus Leibeskräften etwas zu, doch was sie ihm zuschrien — er konnte es unmöglich verstehen. «Aber das sind doch Phantasiegebilde, ich weiß es ja!» dachte es

in ihm, «ich weiß, daß ich nicht einschlafen konnte und jetzt
aufgestanden bin, weil ich vor lauter Trübsal nicht liegenzu-
bleiben vermochte.» Das Geschrei der Leute, ihr Gebaren und
alles andere war jedoch so wirklich und deutlich, daß ihn
immerhin Zweifel befielen. «Kann das denn ein Fiebertraum
sein? Was wollen die Leute von mir? Mein Gott!... Aber...
wenn es kein Traum ist, wäre es denn möglich, daß solch ein
Geschrei Pawel Pawlowitsch nicht geweckt hätte? Er schläft
doch hier auf dem Diwan?» Schließlich geschah etwas, genau
wie im damaligen Traum. Alle strömten zum Flur hin und
drängten sich an der Tür, denn von der Treppe her wälzte
sich eine neue Menschenmenge ins Zimmer. Diese Menschen
trugen etwas mit sich, etwas Großes und Schweres; man hörte,
wie die Schritte der Tragenden dumpf auf den Stufen hallten
und atemlose Stimmen sich hastig zuriefen. Im Zimmer schrie
man: «Es kommt, es kommt!» Aller Augen leuchteten böse
auf und wandten sich Weltschaninoff zu. Triumphierend und
drohend wiesen alle zur Treppe. Nun vollkommen überzeugt,
daß dies kein Fiebertraum, sondern Wirklichkeit sei, stellte
er sich auf die Zehenspitzen, um schneller, über die Köpfe der
Menschen hinweg, zu erblicken, was sie da trugen. Sein Herz
pochte, pochte, pochte, und da — ganz genau wie im letzten
Traum — ertönten drei überlaute Schläge der Türglocke. Und
wiederum war es ein so heller, ein so überzeugend wirklicher
Klang, wie man ihn niemals hätte träumen können! Er schrie
auf und — erwachte.

Aber er stürzte nicht wie damals zur Tür. Ob es ein bestimmter Gedanke war, der seine erste Bewegung lenkte, ob er
überhaupt in diesem Augenblick einen Gedanken gefaßt hatte
— aber es war, als flüstere ihm jemand ein, was er zu tun habe.
Er sprang vom Bett auf, warf sich mit vorgestreckten Händen,
als wolle er einen Überfall abwenden und sich schützen, nach
vorne in die Richtung, wo Pawel Pawlowitsch schlief. Seine
Hände stießen sofort auf andere, die schon gegen ihn gerichtet
waren, und er packte sie mit aller Kraft; also hatte sich jemand

bereits über ihn gebeugt. Die Gardinen waren zugezogen, aber es war doch nicht ganz dunkel, weil aus dem anderen Zimmer, dessen Fenster keine Vorhänge hatten, ein schwacher Lichtschein hereindrang. Plötzlich schnitt ihn etwas sehr schmerzhaft in Fläche und Finger der linken Hand; er wußte sofort, daß er in die Schneide eines Messers oder einer Rasierklinge gefaßt hatte, und packte den Gegner noch stärker an ... Im gleichen Augenblick fiel etwas schwer und dumpf zu Boden. Weltschaninoff war vielleicht dreimal so stark wie Pawel Pawlowitsch, aber der Kampf der beiden dauerte lange, volle drei Minuten wohl. Weltschaninoff zwang den anderen bald auf den Boden, drehte ihm die Hände auf den Rücken, und aus irgendeinem Grunde wollte er diese nach hinten gedrehten Hände unbedingt fesseln. Während er mit der verwundeten Linken den Mörder festhielt, suchte er mit der Rechten tastend die Schnur vom Fenstervorhang und konnte sie lange nicht finden, aber schließlich erwischte er sie und riß sie herab. Er selbst staunte später über die unnatürliche Kraft, die dazu erforderlich gewesen war. Im Laufe dieser drei Minuten sprach weder der eine noch der andere auch nur ein Wort. Nichts als keuchendes Atmen war zu hören und der dumpfe Lärm eines Kampfes. Als er schließlich Pawel Pawlowitsch die Hände nach hinten gedreht und gefesselt hatte, ließ Weltschaninoff ihn am Boden liegen, erhob sich, schob die Vorhänge zur Seite und zog die Rolläden in die Höhe. Auf der leeren Straße war es bereits hell. Er öffnete das Fenster, stand einige Augenblicke lang davor und atmete tief die Luft ein. Die fünfte Morgenstunde war schon angebrochen. Er schloß das Fenster wieder und begab sich eilig zum Schrank, aus dem er ein reines Tuch hervorholte und sich die linke Hand ganz fest verband damit, um das fließende Blut zu stillen. Beinahe wäre er in die offene Klinge getreten, die auf dem Teppich lag. Er nahm sie an sich, machte sie zu, legte sie in die Rasierschachtel, die er am Morgen auf dem kleinen Tischchen dicht neben Pawel Pawlowitschs Diwan liegen gelassen hatte, und schloß sie in seinen

Schreibtisch. Als er damit fertig war, ging er zu Pawel Pawlowitsch und betrachtete ihn.

Dieser hatte sich inzwischen mühevoll vom Teppich erhoben und in den Sessel gesetzt. Da saß er nun ohne Anzug, trug nur Unterwäsche, nicht einmal Schuhe. Sein Hemd war am Rücken und an den Ärmeln mit Blut befleckt, aber es war nicht sein eigenes Blut, sondern das aus Weltschaninoffs verwundeter Hand. Natürlich war es Pawel Pawlowitsch, aber man hätte ihn, wäre man ihm unvermutet begegnet, im ersten Augenblick nicht erkannt, so verändert waren seine Züge. Mit den nach hinten gefesselten Händen saß er sehr ungeschickt im Sessel, sein Gesicht war zerquält, ganz entstellt und graugrün, und immer wieder zuckte es darin. Mit starrem Blick, der aber noch abwesend war und nichts so recht zu unterscheiden schien, blickte er Weltschaninoff an. Plötzlich lächelte er stumpf, machte eine Kopfbewegung zur Wasserkaraffe, die auf dem Tisch stand, und sagte in heiserem Flüsterton:

«Wasser.»

Weltschaninoff goß ein Glas voll und begann ihn mit eigenen Händen zu tränken. Pawel Pawlowitsch stürzte sich mit Gier darauf. Nachdem er dreimal geschluckt hatte, hob er den Kopf und schaute Weltschaninoff, der über ihn gebeugt mit dem Glas in der Hand dastand, fest in die Augen, sagte aber nichts und fuhr fort zu trinken. Als er sich sattgetrunken hatte, holte er tief Atem. Weltschaninoff nahm sein Kissen, ergriff seine Oberkleider und begab sich ins andere Zimmer, nicht ohne Pawel Pawlowitsch im ersten eingeschlossen zu haben.

Die Schmerzen von vorhin waren vollkommen vergangen, aber er spürte, wie nach der eben gehabten Anspannung ihm die weiß Gott woher zurückgekehrte Kraft wieder schwand. Mühsam versuchte er, sich das Geschehene zu erklären, aber die Gedanken folgten ihm noch kaum. Die Erschütterung war zu stark gewesen. Bald fielen ihm für kurze Minuten die Augen zu, bald fuhr er wieder auf, erwachte, erinnerte sich an alles, spürte seine schmerzende, in das Tuch gewickelte Hand und begann fieberhaft zu denken: Pawel Pawlowitsch hatte ihn also wirklich töten wollen, aber womöglich eine Viertelstunde vorher selbst noch nicht gewußt, daß er es wolle. Vielleicht hatte gestern abend sein Blick die Rasierschachtel gestreift, ohne daß ihm dabei der Gedanke daran gekommen wäre; sie war ihm nur als etwas ganz Nebensächliches im Gedächtnis geblieben. (Die Rasiermesser lagen sonst immer im Schreibtisch eingeschlossen, nur gestern morgen hatte Weltschaninoff sie herausgeholt, um einige Haare neben dem Schnurrbart und dem Backenbart zu entfernen, was er manchmal zu tun pflegte.)

«Wenn er schon lange die Absicht gehabt hätte, mich zu töten, hätte er sich bestimmt rechtzeitig mit einem Messer oder einer Pistole versehen und nicht mit meinen Klingen gerechnet, die er gestern morgen zum ersten Mal zu Gesicht bekommen hat», dachte er unter anderem.

Schließlich schlug es sechs Uhr morgens. Weltschaninoff kam zu sich, kleidete sich an und ging zu Pawel Pawlowitsch hinüber. Als er die Tür aufschloß, konnte er nicht mehr verstehen, warum er Pawel Pawlowitsch eingeschlossen hatte, statt ihn gleich aus dem Hause zu weisen. Zu seinem Erstaunen war der Häftling völlig angekleidet. Vermutlich hatte er sich durch Zufall befreien können. Er saß im Sessel, erhob sich aber sogleich, als Weltschaninoff hereinkam. Den Hut hielt er schon in der Hand. Sein erregter Blick schien zu sagen: «Nur nicht sprechen, wozu anfangen, wozu reden...»

«Gehen Sie!» sagte Weltschaninoff. «Nehmen Sie Ihr Etui», rief er ihm nach.

Pawel Pawlowitsch, schon bei der Tür, kehrte um, nahm das Etui mit dem Armband vom Tisch, steckte es in die Tasche und ging hinaus auf den Flur. Weltschaninoff stand an der Tür, um sie hinter ihm zu schließen. Ihre Blicke kreuzten sich ein letztes Mal; Pawel Pawlowitsch blieb plötzlich stehen, beide schauten sich vielleicht fünf Sekunden in die Augen, als zauderten sie. Schließlich winkte Weltschaninoff schwach mit der Hand ab:

«Nun, gehen Sie!» sagte er halblaut und schloß die Tür.

XVI. DIE ANALYSE

Das Gefühl ungewöhnlicher, riesengroßer Freude bemächtigte sich seiner: etwas war zu Ende, etwas war entwirrt; ein entsetzlicher, bedrückender Kummer hatte ihn verlassen und sich zu einem Nichts aufgelöst. So schien es ihm wenigstens. Fünf Wochen lang hatte er angehalten. Mehrmals hob er die Hand, betrachtete das blutgetränkte Tuch und murmelte vor sich hin: «Nein, jetzt ist alles vorbei!» Und während dieses ganzen Morgens — zum ersten Mal im Verlauf der letzten drei Wochen — dachte er fast kein einziges Mal an Lisa, als hätten die verwundeten Finger auch diesen Kummer ausgeblutet.

Er war sich plötzlich klar darüber, daß er einer schrecklichen Gefahr entronnen war. «Solche Menschen», dachte er, «eben diese Menschen, die eine Minute vorher noch nicht wissen, ob sie töten werden... Einmal das Messer in den zitternden Händen und den ersten Tropfen heißen Blutes an ihren Fingern... Nicht daß sie einen dann erstechen, nein, sie schneiden einem den Kopf ab, ‹glatt ab›, wie die Galeerensträflinge sagen. Das ist nun einmal so.»

Er konnte nicht zu Hause bleiben und ging hinunter auf die Straße, fest von der Notwendigkeit durchdrungen, daß er sofort etwas tun oder daß jetzt gleich mit ihm etwas geschehen müsse; er ging durch die Straßen und wartete. Das Verlangen, jemandem zu begegnen, überkam ihn, jemanden anzusprechen, selbst einen Unbekannten, und nur das brachte ihn schließlich auf den Gedanken, einen Arzt aufzusuchen, um seine Hand sachkundig verbinden zu lassen. Der Arzt, ein alter Bekannter, fragte, nachdem er die Wunde untersucht hatte, neugierig: «Wie konnte das nur geschehen?» Weltschaninoff antwortete mit einem Scherz, lachte und war nahe daran, alles zu erzählen, beherrschte sich aber doch noch. Der Arzt fühlte sich veranlaßt, ihm den Puls zu fühlen, und als er von dem Anfall der vergangenen Nacht erfuhr, überredete er ihn gleich, eine beruhigende Arznei zu nehmen, die er gerade bei der Hand hatte. Den Schnitt fand er nicht beängstigend und meinte, schlimme Folgen könne er nicht haben. Weltschaninoff lachte und beteuerte, daß ganz vortreffliche Folgen bereits in Erscheinung getreten seien. Das unwiderstehliche Verlangen, *alles* zu erzählen, überkam ihn an diesem Tage noch zweimal, einmal sogar einem ganz unbekannten Menschen gegenüber, den er als erster in einer Konditorei angesprochen hatte. Bis zu diesem Tage hatte er es gehaßt, sich in öffentlichen Lokalen mit Fremden zu unterhalten.

Er betrat Läden, kaufte Zeitungen, suchte schließlich seinen Schneider auf und bestellte sich einen neuen Anzug. Der Gedanke, Pogorjelzeffs aufzusuchen, war ihm nach wie vor unangenehm, und er dachte nicht an sie; zudem konnte er nicht aufs Land fahren, immer noch schien er etwas in der Stadt zu erwarten. Genußreich aß er zu Mittag, knüpfte ein Gespräch mit seinem Tischnachbarn an, redete mit dem bedienenden Kellner und trank eine halbe Flasche Wein. An die Möglichkeit, der gestrige Anfall könnte sich wiederholen, dachte er nicht einmal. Er war davon durchdrungen, daß von dem Augenblick an, da er gestern, völlig entkräftet eingeschlafen, nach anderthalb Stunden vom Bett geschnellt war und seinen Mörder mit solcher Kraft zu Boden geworfen hatte, seine Krankheit vorüber war. Gegen Abend jedoch begann sein Kopf zu schwindeln, und etwas ähnliches wie der gestrige Fieberwahn schien für Augenblicke von ihm Besitz zu ergreifen. Er kehrte nach Hause zurück, als es schon dämmerte, und hatte beim Eintreten fast Angst vor seinem Zimmer. Unheimlich und grauenerregend erschien ihm diese Wohnung. Er durchschritt sie einige Male und betrat sogar die Küche, in die er sonst niemals schaute. «Hier haben sie gestern die Teller erhitzt», dachte er. Ganz sorgfältig verschloß er die Tür und entzündete die Kerzen früher als sonst. Beim Verriegeln fiel ihm ein, daß er vor einer halben Stunde, als er an der Portiersloge vorbeigegangen war, Mawra herausgerufen und sie gefragt hatte, ob Pawel Pawlowitsch in seiner Abwesenheit vorgesprochen habe, als wäre das wirklich möglich gewesen. Als er sich mit aller Sorgfalt eingeschlossen hatte, öffnete er den Schreibtisch, nahm das Etui mit den Rasierklingen heraus, klappte das «gestrige» Messer auf und betrachtete es. An seinem weißen Knochengriff klebten noch kaum merkliche Blutspuren. Dann legte er es wieder in das Etui zurück und verschloß es im Schreibtisch. Er wollte schlafen. Er spürte, daß er sich gleich niederlegen mußte, da er sonst morgen zu nichts fähig sein würde. Den kommenden Tag hielt er aus irgendeinem Grunde für einen schicksalhaften, «endgültigen». Die gleichen Gedanken, die ihn im Laufe des ganzen Tages, selbst auf der Straße für keinen Augenblick verlassen hatten, pochten und drängten unaufhörlich in seinem Kopf; er mußte immer denken, denken, denken und konnte noch lange nicht einschlafen ...

«Wenn man sich auch damit abfindet, daß er mich ganz ‹zufällig› hat erstechen wollen», dachte er immer wieder, «so möchte ich doch wissen, ob ihm diese Möglichkeit schon einmal vorher in den Sinn gekommen ist, wenn auch nur als Wunsch in einer haßerfüllten Minute?»

Er beantwortete sich die Frage sehr merkwürdig, und zwar so, daß Pawel Pawlowitsch ihn habe ermorden wollen, daß aber der Mordgedanke dem angehenden Mörder überhaupt nicht in den Sinn gekommen sei. Kürzer: «Pawel Pawlowitsch wollte morden, wußte es aber selbst nicht. Es ist sinnlos, aber es ist so», dachte Weltschaninoff. «Nicht Bagautoffs wegen und nicht um eine Stellung zu suchen, ist er nach Petersburg gekommen, — obwohl er hier nach einer Stellung suchte, Bagautoff treffen wollte und wütend wurde, weil jener starb. Bagautoff verachtete er. Meinetwegen ist er hier erschienen, und meinetwegen ist er mit Lisa gekommen...»

«Und habe ich es nicht selbst erwartet, daß er mich ermorden wird?» Er kam zu dem Schluß, daß er es erwartet habe, und zwar von der Sekunde an, als er ihn in der Droschke hinter dem Sarg Bagautoffs erblickt hatte. «Ich schien auf irgend etwas zu warten... aber selbstredend nicht auf das, selbstredend nicht darauf, daß er mich erstechen werde!»

«Und war denn wirklich all das, was dieser Irre mir da vorschwatzte», rief er aus, richtete sich in den Kissen empor und öffnete die Augen, «war das alles wahr von seiner Liebe zu mir, als sein Kinn zu zittern begann und er sich mit der Faust vor die Brust schlug?»

«Vollständig wahr», entschied er, während er sich unaufhörlich weiter in diesen Menschen vertiefte und ihn analysierte. «Dieser Quasimodo aus T. war dumm und edel genug, sich in den Liebhaber seiner eigenen Frau zu verlieben, nachdem er im Verlauf von zwanzig Jahren auf *nichts* gekommen war! Er hat mich neun Jahre lang verehrt, sich meiner immer voller Achtung erinnert und sogar meine ‹Aussprüche behalten›, — mein Gott, und ich ahnte von alledem nichts! Aber liebte er mich denn gestern wirklich, als er mir seine Liebe erklärte und sagte, daß wir abrechnen wollten? Ja, aus lauter *Wut* liebte er, und diese Liebe ist die allerstärkste...»

«Aber es kann doch sein — und es war sogar sicher so —, daß ich in T. großen Eindruck auf ihn gemacht habe — eben einen großen und ‹erfreulichen›, und nur einem Schiller in Gestalt eines Quasimodo konnte so etwas widerfahren! Er überschätzte mich hundertfach, weil ich ihn zu sehr verblüfft habe in seiner philosophischen Einsamkeit... Möchte nur wissen, wodurch ich ihn so verblüfft habe? Vielleicht nur durch ein Paar eleganter Handschuhe und die Art, sie anzuziehen. Quasimodos lieben die Ästhetik, oh, wie sie sie lieben! Für so manche edle Seele genügt ein Paar Handschuhe vollkommen. Wie sollten sie nicht für die eines ‹ewigen Gatten› genügen?

Das übrige ergänzen sie dann selbst tausendfach und würden sich sogar für einen schlagen, wenn man es wünschen sollte. Wie hoch er doch meine Fähigkeit, zu bezaubern, einschätzt! Vielleicht hat eben diese Fähigkeit ihn am meisten verblüfft. Und sein damaliger Ausruf: ‹Wenn auch dieser — wem soll man dann noch vertrauen!› Nach einem solchen Ausruf kann man zum Tier werden...»

«Hm! Er kam ja hierher, um mich zu umarmen und an meiner Schulter zu weinen, wie er sich selbst in so beschämender Weise ausdrückte, das heißt aber, daß er hierher fuhr, um mich zu ermorden, und nur meinte, er komme, um mich zu umarmen und an meiner Schulter zu weinen... Auch Lisa hat er mitgebracht... Und was wäre geschehen, wenn ich mit ihm geweint hätte? Vielleicht hätte er mir in der Tat vergeben, denn er wollte ja gar zu gerne vergeben! Beim ersten Zusammenstoß aber artete das alles in die Verzerrung eines Betrunkenen, in eine Karikatur aus, in ein widerliches Weibergeflenne über die erlittene Kränkung. Die Hörner, nein, die Hörner, die er damals andeutete! Darum kam er auch betrunken her, um sich wenigstens im Rausch auszusprechen; wäre er nüchtern gewesen, er hätte es nicht vermocht... Und er liebte es doch so sehr, sich zu verstellen, ach, wie er es liebte! Wie froh war er doch, als er mich gezwungen hatte, ihn zu küssen! Nur wußte er wohl damals nicht, wie das enden sollte, ob er mich umarmen oder mich erstechen werde. Und selbstredend geschah — wie es auch am besten ist — sowohl das eine wie das andere. Die allernatürlichste Lösung! — Ja, die Natur liebt keine Mißgeburten und entledigt sich ihrer durch ‹natürliche Lösungen›. Die übelste Gestalt ist die Mißgeburt mit edlen Gefühlen, ich weiß das aus eigener Erfahrung. Pawel Pawlowitsch! Die Natur ist der Mißgeburt keine zärtliche Mutter, eine Stiefmutter ist sie ihr. Sie gebiert die Mißgeburt, aber statt sich ihrer zu erbarmen, züchtigt sie sie noch, — und es ist recht so. Umarmungen und allverzeihende Tränen werden in unserem Jahrhundert selbst rechtschaffenen Menschen

nicht ungestraft nachgesehen, geschweige denn solchen, wie
Sie und ich welche sind, Pawel Pawlowitsch!»

«Ja, er war dumm genug, mich zu seiner Braut mitzunehmen —
mein Gott! Braut! Nur bei so einem Quasimodo konnte der
Gedanke von einer ‹Auferstehung zu neuem Leben› keimen —
kraft der Unschuld einer Mademoiselle Sachlebinin! Aber Sie
sind nicht schuldig, Pawel Pawlowitsch, Sie sind nicht schuldig: Sie sind eine Mißgeburt, und darum muß bei Ihnen alles
mißgestaltet sein — sowohl Ihre Wunschträume als Ihre Hoffnungen. Aber obschon Mißgeburt, zweifelte er an seinem
Wunschtraum, weshalb die hohe Billigung Weltschaninoffs,
des demütig Verehrten, erforderlich wurde. Weltschaninoffs
Zustimmung wurde benötigt, die Bestätigung seinerseits, daß
der Wunschtraum kein Wunschtraum, sondern Wirklichkeit
sei. Aus demütiger Hochachtung vor mir, im Glauben an den
Edelmut meiner Gefühle führte er mich hin, — vielleicht sogar
mit der Hoffnung, wir könnten uns dort unter einem Strauch
in der Nähe der reinen Unschuld umarmen und miteinander
weinen. Ja, dieser ‹ewige Gatte›, er war doch verpflichtet,
sich selbst für alles zu strafen, und um das zu tun, griff er
zum Rasiermesser — zwar unbewußt, aber dennoch — er griff
danach! ‹Immerhin durchbohrte er ihn mit dem Messer, zu
guter Letzt durchbohrte er ihn mit dem Messer, in Gegenwart
des Gouverneurs!› Hat er damals auch nur die Spur eines
Gedankens dieser Art gehabt, als er mir die Geschichte von
dem Brautführer erzählte? Ist während jener Nacht etwas in
ihm vorgegangen, als er sich vom Bett erhoben und dann
mitten im Zimmer gestanden hat? Hm! . . . Er tat es damals
zum *Scherz*. Seiner eigenen Bedürfnisse wegen war er aufgestanden; als er aber sah, daß ich ihn fürchtete, antwortete
er mir minutenlang nicht, weil ihm diese meine Furcht nur
zu angenehm war . . . Vielleicht schwebte ihm zum ersten Mal
etwas von dem Künftigen vor, als er in der Dunkelheit so
dastand . . .»

«Und dennoch, hätte ich gestern die Rasiermesser nicht auf

dem Tisch vergessen — vielleicht wäre nichts geschehen. Ist's auch so? Ist's auch so? Hat er mich nicht früher gemieden, hat er mich nicht ganze zwei Wochen lang nicht besucht, hielt er sich nicht versteckt vor mir, weil er Erbarmen mit mir fühlte? Zu Anfang hatte er Bagautoff ausgewählt und nicht mich! Sprang er doch nachts auf, um Teller zu wärmen, im Glauben, sich selbst ändern zu können — ha! Vom Messer zur Rührung! Sich selbst und mich hat er retten wollen — mit gewärmten Tellern!»

Und noch lange grübelte dieser ehemalige «Mann der Gesellschaft» und wälzte immer wieder das gleiche hin und her, bis er schließlich erschöpft einschlief. Am andern Tag erwachte er mit ebenso krankem Kopf, aber einem gänzlich *neuen* und gänzlich unerwarteten Schrecken...

Dieser neue Schrecken entsprang der felsenfesten Überzeugung, die unvermutet in ihm Wurzel geschlagen hatte, daß er, Weltschaninoff — ein «Mann der Gesellschaft» —, heute selbst, aus eigenem Willen, die ganze Sache zum Abschluß bringen und sich deshalb zu Pawel Pawlowitsch begeben müsse. — Wozu? Zu welchem Zweck? Das wußte er nicht und wehrte sich auch, es zu wissen, war nur völlig sicher, daß er sich aus irgendeinem Grunde dorthin schleppen werde.

Dieser Irrsinn — anders konnte er es gar nicht benennen — brachte es jedoch mit sich, daß sein Drang, zu Pawel Pawlowitsch zu gehen, so weit wie möglich ein vernünftiges Gewand bekam und einen recht legalen Vorwand fand: Schon gestern hatte er befürchtet — er glaubte es wenigstens —, Pawel Pawlowitsch werde in sein Zimmer zurückkehren, sich dort einschließen und — sich erhängen wie jener Kassierer, von dem Marja Ssyssojewna erzählt hatte. Diese Befürchtung verwandelte sich in ihm nach und nach zur sinnlosen, aber unabwendbaren Überzeugung. — «Warum sollte dieser Narr sich erhängen?» unterbrach er sich selbst immer wieder. Ihm fielen Lisas Worte ein... «Ich würde mich übrigens an seiner Stelle vielleicht auch erhängen...» ging es ihm einmal durch den Kopf.

174

Es endete damit, daß er, statt zum Mittagessen, doch zu Pawel Pawlowitsch ging. «Ich will nur Marja Ssyssojewna fragen», beschloß er. Aber er war noch nicht auf der Straße, als er plötzlich vor dem Haustor stehenblieb.

«Ist es möglich, ist es denn möglich!» rief er und errötete vor Scham. «Schleppe ich mich nun zu ihm hin, um ‹ihn zu umarmen und an seiner Brust zu weinen›? Nur diese Niedertracht fehlte mir noch zur vollkommenen Schmach!»

Aber vor dieser «Niedertracht» bewahrte ihn das Geschick aller ordentlichen und anständigen Leute. Kaum trat er auf die Straße, als er mit Alexander Ljubow zusammenstieß. Der Jüngling war in Eile und erregt.

«Und ich bin gerade auf dem Wege zu Ihnen! Unser Freund, Pawel Pawlowitsch, was sagen Sie dazu?»

«Hat sich erhängt!» flüsterte Weltschaninoff mit wilder Stimme.

«Wer hat sich erhängt? Warum?» fragte Ljubow und glotzte.

«Nein, nichts... nur so. — Fahren Sie fort!»

«Pfui Teufel, haben Sie aber eine seltsame Phantasie! Er hat sich nicht im geringsten erhängt! — Warum erhängt? Im Gegenteil — weggefahren ist er. Ich habe ihn eben hinausbegleitet und in den Zug gesetzt. Pfui, wie der trinken kann, das muß man ihm lassen! Drei Flaschen haben wir geleert, Predpossyloff auch, — aber wie der trinkt, wie der trinkt! Lieder hat er im Zug gesungen, Ihrer gedacht, mit den Händen gewinkt hat er und Sie grüßen lassen. Ist er eigentlich ein Schuft, was glauben Sie?»

Der junge Mann war tatsächlich angeheitert. Sein gerötetes Gesicht, die funkelnden Augen und die schlecht gehorchende Zunge legten deutlich Zeugnis davon ab. Weltschaninoff lachte aus vollem Halse.

«Also haben Sie schließlich doch noch Bruderschaft getrunken! Ha-ha! Haben sich umarmt und zusammen geweint! Ach, ihr Poeten, ihr Schiller!»

«Bitte, schimpfen Sie nicht! Wissen Sie, *dort* hat er vollständig verzichtet. Er war gestern bei ihnen und heute auch. Hat entsetzlich viel aus der Schule geplaudert. Nadja wurde eingesperrt, sie sitzt auf ihrem Zimmer. Geschrei, Tränen, wir werden jedoch nicht nachgeben. Aber wie der trinkt, ich kann Ihnen sagen, wie der trinkt! Und wissen Sie, was er für einen Ton anschlägt, das heißt nicht Ton, aber wie heißt das nur...? Immer wieder dachte er an Sie, aber ihn kann man ja gar nicht mit Ihnen vergleichen. Sie sind immerhin ein anständiger Mensch, gehörten einmal auch wirklich der höheren Gesellschaft an und sind nur jetzt gezwungen, sich zurückzuziehen — aus Armut vielleicht... Weiß der Teufel, ich habe ihn nicht gut verstanden.»

«So, in dieser Weise hat er also von mir gesprochen?»

«Ja, ja, ärgern Sie sich nicht. Ein Bürger sein ist besser als ein Mensch der höheren Gesellschaft. Ich sage es deshalb, weil man in unserem Zeitalter nicht weiß, wen man in Rußland achten soll. Geben Sie zu, das ist die große Krankheit unseres Zeitalters, daß man nicht weiß, wen man achten soll, — ist es denn nicht wahr?»

«Es ist wahr, es ist wahr... Was sagte er denn noch?»

«Er? Wer? Ach ja! Warum rief er immer: der fünfzigjährige, aber verarmte Weltschaninoff? Warum: *aber* verarmte, und nicht: *und* verarmte? Und dabei lachte er und wiederholte es tausendmal! Setzte sich ins Abteil, stimmte ein Lied an und begann zu schluchzen — einfach widerlich! Trieb es so weit, daß er einem schließlich leid tat — weil man betrunken war. Ach, ich kann Dummköpfe nicht ausstehen! Und dann warf er den Bettlern Geld zu, sie sollten für die Seelenruhe einer Elisaweta beten, — das ist wohl seine Frau?»

«Seine Tochter.»

«Was haben Sie an der Hand?»

«Ich habe mich geschnitten.»

«Nun, das vergeht. Wissen Sie, der Teufel soll ihn holen, gut, daß er abgefahren ist, aber ich wette, dort, wo er hinkommt, wird er gleich wieder heiraten, nicht wahr?»

«Ja, aber auch Sie wollen doch heiraten?»

«Ich? Ich — das ist doch ganz etwas anderes. Sie sind aber sonderbar! Wenn Sie fünfzig sind, so ist er doch mindestens sechzig, da muß man ein bißchen Logik haben, Väterchen. Und wissen Sie, früher war ich reinster Slawophile, aus Überzeugung, jetzt aber erwarten wir das Morgenrot vom Westen . . Nun, auf Wiedersehen, gut, daß ich Ihnen begegnet bin, ohne Sie zu besuchen. Ich werde es auch nicht tun, bitten Sie mich nicht, ich habe keine Zeit!»

Und er wollte schon davonstürzen.

«Ach, wie konnte ich es nur vergessen!» sagte er und drehte sich plötzlich noch einmal um, «er hat mich doch mit einem Brief zu Ihnen geschickt! Hier ist er. Warum haben Sie ihn nicht auch hinausbegleitet?»

Weltschaninoff kehrte nach Hause zurück und öffnete den mit seinem Namen versehenen Umschlag.

Keine Zeile von Pawel Pawlowitsch befand sich darin, sondern ein anderer Brief. Weltschaninoff erkannte die Handschrift. Es war ein altes Schreiben, ein vergilbtes Papier mit schon blassen Schriftzügen, das vor zehn Jahren an ihn gerichtet worden war, als er, etwa zwei Monate nachdem er T. verlassen hatte, in Petersburg lebte. Aber dieser Brief hatte ihn nie erreicht. An seiner Stelle hatte er damals einen anderen erhalten. Das ging klar aus dem Sinn des Schreibens hervor. In diesem Brief, in dem Natalja Wassiljewna von ihm Abschied nahm wie in dem anderen, den er damals erhielt, und ihm gestand, daß sie einen anderen liebte, verbarg sie jedoch nicht ihre Schwangerschaft. Im Gegenteil, ihm zum Trost verhieß sie, daß sie eine Gelegenheit finden werde, ihm das künftige Kind zu übergeben, beteuerte, daß sie von nun an gemeinsame Pflichten hätten, daß ihre Freundschaft für ewig besiegelt sei — mit einem Wort, der Logik gab es wenig darin, aber das Ziel war das gleiche: daß er sie mit seiner Liebe verschonen möge. Sie gestattete ihm sogar, nach einem Jahr nach T. zu kommen, um das Kind zu sehen. Weiß Gott, warum sie es sich überlegt und ihm statt dessen einen anderen Brief geschrieben hatte. Beim Lesen war Weltschaninoff ganz erblaßt, stellte sich aber vor, wie Pawel Pawlowitsch den Brief gefunden und, über die offene Familienschatulle aus schwarzem Ebenholz mit Perlmutterintarsien gebeugt, ihn zum ersten Mal gelesen hatte.

«Wahrscheinlich ist auch er bleich geworden wie ein Leichentuch», dachte er, als er unvermutet sein Gesicht im Spiegel sah. «Wahrscheinlich hat er ihn gelesen, dann die Augen geschlossen und sie plötzlich geöffnet, in der Hoffnung, der Brief werde sich inzwischen in ein gewöhnliches weißes Papier verwandelt haben... Sicher hat er diesen Versuch mindestens dreimal gemacht!»

XVII. DER EWIGE GATTE

Fast zwei Jahre waren seit dem beschriebenen Ereignis verflossen. Wir begegnen Herrn Weltschaninoff eines herrlichen Sommertags im Wagen unserer neu eröffneten Eisenbahnstrecke. Er fuhr nach Odessa, um zu seiner Zerstreuung einen Freund zu treffen, und hatte zugleich noch eine andere, auch recht angenehme Absicht: Durch diesen Freund hoffte er einer überaus interessanten Frau zu begegnen, mit der er schon längst nähere Bekanntschaft hatte schließen wollen. Ohne ins einzelne zu gehen, wollen wir uns auf den Hinweis beschränken, daß er sich im Laufe der letzten zwei Jahre sehr gewandelt oder, besser gesagt, sehr zu seinem Vorteil verändert hatte. Von der ehemaligen Hypochondrie war keine Spur mehr geblieben und von den verschiedenen «Erinnerungen» und Unruhen — Folgen der Krankheit —, die ihn vor zwei Jahren in Petersburg während des Prozesses belagert hatten, im Bewußtsein seines damaligen Kleinmutes nur ein gewisses heimliches Schamgefühl. Er wurde dafür teilweise entschädigt durch die Gewißheit, daß ähnliches nie wieder vorkommen und niemand etwas davon erfahren werde. Allerdings hatte er damals die Gesellschaft gemieden, hatte begonnen, sich sogar schlecht zu kleiden, und sich irgendwohin verkrochen, — und das wurde natürlich von *allen* bemerkt. Aber er erschien bald wieder mit schuldbewußtem und zugleich neugeborenem und selbstsicherem Aussehen, so daß *alle* ihm seine vorübergehende Abtrünnigkeit sofort verziehen; diejenigen, deren Gruß er nicht beantwortet hatte, waren sogar die ersten, die ihn wieder erkannten, ihm die Hand hinstreckten und keine aufdringlichen Fragen stellten, als wäre er die ganze Zeit über in Privatangelegenheiten, die keinen etwas angingen, verreist gewesen und eben erst zurückgekehrt. Ursache dieser günstigen und gesunden Wandlung zum Besseren war selbstverständlich der gewonnene Prozeß. Weltschaninoff bekam im ganzen sechzigtausend Rubel, ohne Zweifel keine große, für ihn aber eine sehr wichtige Angelegenheit. Vor allem fühlte er sofort festen Boden unter den Füßen, und folglich fand sein Gewissen Ruhe; er wußte jetzt ganz sicher, daß er nicht so dumm sein werde, dieses Geld zu verschwenden, wie er es mit den zwei ersten Vermögen getan hatte, und daß es für sein ganzes Leben ausreichen müsse. «So morsch das gesellschaftliche Gebäude auch sein und was man auch verkünden mag», dachte er manchmal, während er all das Wunderliche und Unglaubliche, das um ihn und in ganz Rußland geschah, betrachtete und belauschte, «wie die Menschen und die Gedanken sich auch wandeln mögen — ich werde doch immer dieses ausgewählte und schmackhafte Mittagessen haben, an das ich mich jetzt setze, und folglich bin ich auf alles vorbereitet.» Dieser bis zur Wollust liebreiche Gedanke bemächtigte sich seiner nach und nach vollständig und erwirkte eine völlige physische Wandlung in ihm, von der moralischen gar nicht zu reden: Im Vergleich zu der willenlosen Schlafmütze, die er vor zwei Jahren gewesen war und der damals ganz unerhörte Geschichten widerfuhren, war er nun ein ganz anderer Mensch, heiter, klar, selbstsicher. Sogar die bösartigen Fältchen, die sich um

Augen und Stirn angehäuft hatten, glätteten sich beinahe. Ja selbst seine Gesichtsfarbe veränderte sich — sie wurde weißer, rosiger. Im gegebenen Augenblick saß er auf einem bequemen Platz im Abteil erster Klasse, und in seinem Hirn bildete sich gerade ein überaus lieblicher Gedanke: An der nächsten Station gab es eine Gabelung des Weges, und eine neue Linie bog nach rechts ab. «Wenn man für einen Augenblick den geraden Weg verlassen und sich nach rechts zu fahren verleiten ließe, so könnte man nur zwei Stationen entfernt eine bekannte Dame aufsuchen, die, soeben aus dem Ausland zurückgekehrt, in für mich angenehmer, für sie aber recht langweiliger provinzieller Abgeschlossenheit lebt. Es böte sich also Gelegenheit, die Zeit nicht minder unterhaltsam zu nutzen als in Odessa, um so mehr, als auch das Abenteuer in Odessa nicht davonlaufen wird...» Aber er zögerte immer noch und konnte sich nicht entschließen; er «harrte des Stoßes». Inzwischen näherte man sich der Station. Der «Stoß» ließ nicht auf sich warten.

Auf dieser Station hielt der Zug vierzig Minuten lang, und den Reisenden wurde Mittagessen angeboten. Gleich am Eingang zum Wartesaal erster und zweiter Klasse drängte sich wie üblich eine ungeduldige und eilige Menge, und es gab — vielleicht auch wie üblich — einen Skandal. Eine bemerkenswert reizende Dame — für eine Reisende fast zu üppig gekleidet —, die dem Wagen zweiter Klasse entstiegen war, zog einen Ulanen mit beiden Händen hinter sich her, einen sehr jungen und hübschen Offizier, der sich dauernd ihrem Griff zu entwinden suchte. Der junge Mann war stark angeheitert, und die Dame, allem Anschein nach eine ältere Verwandte von ihm, ließ ihn nicht von sich, vermutlich weil sie fürchtete, er werde sogleich ans Buffet stürzen und weiter trinken. Inzwischen stieß im Gedränge ein kleiner Kaufmann mit dem Ulanen zusammen, der ebenfalls tüchtig und bis zur völligen Umnebelung gezecht hatte. Der Kaufmann war schon vor zwei Tagen auf dieser Station steckengeblieben. Seitdem soff er,

warf mit Geld um sich, war von einer ganzen Horde Sauf-
brüder umgeben und konnte nie den Zug zur Weiterfahrt erreichen. Es kam zum Streit, der Offizier schrie, der Kaufmann
schimpfte, die Dame geriet in Verzweiflung, und während sie
den Offizier seitwärts fortzuziehen suchte, rief sie ihm mit
flehender Stimme zu: «Mitjinka, Mitjinka!» Dem Kaufmann
schien dies allzu schamlos. Die Umstehenden lachten zwar,
aber der kleine Kaufmann fühlte sich durch die, wie ihm schien,
völlige Mißachtung der Sittlichkeit tief verletzt.
«Schau mal einer an: ‹Mitjinka!›» stieß er vorwurfsvoll aus
und ahmte die dünne Stimme der Dame nach. «Nicht einmal
in der Öffentlichkeit schämen sie sich mehr!»
Wankenden Schrittes näherte er sich der Dame, die sich auf
den ersten besten Stuhl fallen ließ und den Ulanen neben
sich auf einen zweiten nötigte, maß beide verächtlichen Blickes
und sagte in singendem Tonfall:
«Du schamlose Person, du schamlose! Dich hat man wohl aus
der Gosse gezogen!»
Die Dame kreischte auf und schaute auf der Suche nach Rettung kläglichen Blickes um sich. Sie schämte und ängstigte
sich gleichzeitig. Um die Verwirrung vollständig zu machen,
riß das Offizierchen sich von seinem Stuhl los, stürzte brüllend
auf den Kaufmann zu, rutschte aber aus und klatschte in den
Stuhl zurück. Das Gelächter ringsum verstärkte sich, niemand
dachte jedoch daran, helfend einzugreifen. Aber Weltschaninoff
rettete die Situation. Er packte den Kaufmann am Rockkragen,
drehte ihn um und stieß ihn etwa fünf Schritt weit von der
erschrockenen Dame fort. Damit nahm der Skandal sein Ende.
Der Kaufmann war stark beeindruckt, sowohl von dem Stoß
wie von der imposanten Figur Weltschaninoffs. Seine Kameraden führten ihn sogleich fort. Die würdevolle Physiognomie
des elegant gekleideten Herrn übte auch auf die Spötter ihre
Wirkung aus: das Gelächter brach ab. Errötend und fast unter
Tränen ergoß die Dame sich in Beteuerungen ihrer Dankbarkeit. Der Ulan murmelte «Danke, danke» und wollte Wel-

tschaninoff die Hand hinreichen, streckte aber statt dessen die
Füße auf den nächsten Stuhl aus.

«Mitjinka!» stöhnte die Dame vorwurfsvoll und schlug die
Hände zusammen.

Weltschaninoff war sowohl mit dem Abenteuer als mit dessen
näheren Umständen zufrieden. Die Dame interessierte ihn.
Sie war augenscheinlich eine reiche Provinzlerin, pompös, aber
geschmacklos gekleidet, mit etwas lächerlichen Manieren, und
vereinte offensichtlich alles in sich, was einem Großstadtdandy
bei gewissen Absichten vollen Erfolg garantierte. Eine Unterhaltung entspann sich. Voller Eifer berichtete und klagte sie
über ihren Gatten, der «plötzlich aus dem Abteil irgendwohin
verschwand. Die ganze Geschichte ist nur entstanden, weil er
ewig irgendwohin verschwindet, wenn er da zu sein hätte.»

«Aus Bedürfnis . . .» murmelte der Ulan.

«Ach, Mitjinka!» rief die Dame und schlug wieder die Hände
zusammen.

«Nun, der Gatte wird noch etwas zu hören bekommen!»
dachte Weltschaninoff. — «Wie heißt Ihr Gatte? Ich will ihn
suchen gehen», schlug er vor.

«Pawel Pawlowitsch», erwiderte der Ulan.

«Ihr Gatte heißt Pawel Pawlowitsch?» fragte Weltschaninoff
voller Neugier, und plötzlich schob sich der ihm bekannte
Glatzkopf zwischen ihn und die Dame. Im gleichen Augenblick erstand vor ihm der Garten bei Sachlebinins, die harm-
losen Spiele und der zudringliche Kopf, der sich unausgesetzt
zwischen ihn und Nadeschda Fedossejewna geschoben hatte.

«Da sind Sie ja endlich!» rief die Gattin hysterisch.

Es war Pawel Pawlowitsch in Person. Vor Erstaunen und
Schreck versteinert, als sähe er ein Gespenst, blickte er auf
Weltschaninoff. Seine Überraschung war so groß, daß er augenscheinlich eine ganze Weile lang nichts von dem verstand, was
seine gekränkte Gattin gereizt und eilig über ihn ausgoß.
Schließlich fuhr er zusammen und erfaßte die ganze Lage:
seine Schuld, das Benehmen Mitjinkas und das des «monsieur»

— so nannte die Dame Weltschaninoff aus irgendeinem Grunde —, «der unser Schutzengel und Retter gewesen ist; und Sie — Sie gehen immer irgendwohin, wenn Sie hier sein sollten . . .»

Weltschaninoff lachte plötzlich hell auf.

«Aber wir sind doch alte Freunde, von Kindheit an!» rief er der erstaunten Dame zu, indem er familiär und gönnerhaft die Schultern des matt lächelnden Pawel Pawlowitsch umfaßte, «hat er Ihnen nie von Weltschaninoff erzählt?»

«Nein, niemals», erwiderte etwas verdutzt die Gattin.

«So stellen Sie mich doch vor, Sie ungetreuer Freund!»

«Lipotschka, das ist wirklich Herr Weltschaninoff. Jawohl . . .» begann Pawel Pawlowitsch, verstummte aber voller Scham.

Die Gattin errötete und schoß mit den Blicken nach ihm, offenbar für das «Lipotschka».

«Stellen Sie sich vor, er hat mich nicht einmal wissen lassen, daß er geheiratet hat, zur Hochzeit hat er mich auch nicht eingeladen, aber Sie, Olympiada . . .»

«Semjonowna», soufflierte Pawel Pawlowitsch.

«Semjonowna!» gab plötzlich der Ulan, der zu schlafen schien, von sich.

«Verzeihen Sie ihm, um meinetwillen, Olympiada Semjonowna, zur Feier der Begegnung zweier alter Freunde . . . Er ist ein guter Gatte!»

Und freundschaftlich schlug er Pawel Pawlowitsch auf die Schulter.

«Herzchen, ich bin nur für eine Minute . . . zurückgeblieben . . .» begann Pawel Pawlowitsch sich zu rechtfertigen.

«Und Ihre Frau haben Sie der Schmach ausgesetzt!» fiel Lipotschka sogleich ein. «Wenn man Sie braucht, sind Sie nie da, und wo man Sie nicht braucht — dort sind Sie . . .»

Lipotschka erstickte fast an ihrer Aufregung. Sie wußte zwar selbst, daß dies alles in Weltschaninoffs Gegenwart unangebracht war, und errötete deswegen, konnte sich aber nicht beherrschen.

«Wo es nicht nötig ist, sind Sie allzu vorsichtig, allzu vorsichtig!» entfuhr es ihr.

«Unter dem Bett... sucht er nach Liebhabern... unter dem Bett — wo es nicht nötig ist», ereiferte sich plötzlich auch Mitjinka.

Mitjinka war hoffnungslos betrunken. Aber alles andere löste sich in Wohlgefallen auf. Pawel Pawlowitsch wurde fortgeschickt, um Fleischbrühe und Kaffee zu holen. Olympiada Semjonowna erklärte Weltschaninoff, daß sie jetzt aus O., wo ihr Mann eine Beamtenstelle bekleidete, für zwei Monate auf ihren Landsitz führen, daß dieser nicht weit weg sei, nur vierzig Werst von dieser Station, daß sie dort ein herrliches Haus mit Garten besäßen, daß häufig Gäste zu ihnen kämen, daß sie auch Nachbarn hätten, und wenn Aleksej Iwanowitsch so gütig sein wollte, sie in ihrer «Zurückgezogenheit» zu besuchen, so würde sie ihn wie ihren Schutzengel empfangen, denn sie könne nicht ohne Schrecken daran denken, was geschehen wäre, wenn... und so weiter, und so weiter... kurz — «wie einen Schutzengel».

«Und Retter, und Retter», unterstrich der Ulan.

Weltschaninoff dankte höflich und erwiderte, daß er immer bereit und ein vollkommen freier und unbeschäftigter Mensch sei und daß die Einladung Olympiada Semjonownas ihm sehr schmeichle. Anschließend entspann sich ein heiteres Gespräch, in das er geschickt zwei oder drei Komplimente einstreute. Lipotschka errötete vor Vergnügen, und kaum war Pawel Pawlowitsch zurückgekehrt, erklärte sie ihm begeistert, daß Aleksej Iwanowitsch überaus gütig gewesen sei, ihre Einladung, den ganzen Monat bei ihnen zu Gast zu sein, angenommen und versprochen habe, schon in einer Woche zu kommen. Pawel Pawlowitsch lächelte verloren und schwieg. Darauf zuckte Olympiada Semjonowna die Schultern und drehte die Augen gen Himmel.

Die Abfahrtszeit nahte, man trennte sich; wieder «Schutzengel», wieder «Mitjinka», und dann brachte Pawel Pawlowitsch das Offizierchen und seine Gattin in das Abteil ihres Zuges. Weltschaninoff steckte sich eine Zigarre in Brand und ging in der Halle vor dem Bahnhof auf und ab. Er wußte, daß Pawel Pawlowitsch zurückkommen werde, um mit ihm bis zum Klingelzeichen zu sprechen. So geschah es denn auch. Ohne Verzug erschien Pawel Pawlowitsch, und seine Augen, alle seine Züge zeigten einen beunruhigten, fragenden Ausdruck. Weltschaninoff lachte «freundschaftlich», zog ihn am Arm zur nächsten Bank, setzte sich nieder und zwang ihn, neben ihm Platz zu nehmen. Er schwieg, denn er wollte, daß Pawel Pawlowitsch als erster zu sprechen beginne.

«Sie werden uns also besuchen?» lispelte dieser, ganz offen zur Sache kommend.

«Dachte ich es doch! Kein bißchen verändert!» lachte Weltschaninoff. «Haben Sie denn wirklich gemeint» — er schlug ihn wieder auf die Schulter — «haben Sie denn auch nur eine Minute ernsthaft glauben können, daß ich zu Ihnen zu Gast kommen würde, und noch dazu für einen ganzen Monat... Ha-ha!»

Pawel Pawlowitsch erbebte nur so vor Entzücken.

«Dann werden Sie — nicht kommen?» rief er, ohne seine Freude auch nur im geringsten zu verbergen.

«Nein, ich werde nicht kommen, ich werde nicht kommen!» rief Weltschaninoff selbstgefällig und lachte.

Er begriff übrigens selbst nicht, warum ihm alles so besonders lächerlich vorkam, aber je mehr er sprach, je länger diese Situation andauerte, desto näher stand ihm das Lachen.

«Wirklich... wirklich, ist es Ihr Ernst?»

«Ich habe doch schon gesagt, daß ich nicht kommen werde... Sind Sie aber ein sonderbarer Mensch!»

«Wie soll denn... wenn es so ist, wie soll ich es denn Olympiada Semjonowna sagen, wenn Sie' nach einer Woche nicht erscheinen und sie Sie erwartet?»

«Das ist doch nicht schwer! Sagen Sie, ich hätte mir das Bein gebrochen oder etwas in dieser Art.»

«Man wird mir nicht glauben», meinte Pawel Pawlowitsch mit kleiner, kläglicher Stimme.

«Und Sie werden etwas zu hören bekommen?» sagte Weltschaninoff und lachte immer weiter. «Ich merke, mein armer Freund, daß Sie vor Ihrer Gattin nur so zittern — wie?»

Pawel Pawlowitsch versuchte ein Lächeln, aber es mißlang. Daß Weltschaninoff sich weigerte, zu Besuch zu kommen, war selbstredend gut, daß er aber familiär über seine Gattin sprach, schien recht übel. Pawel Pawlowitsch krümmte sich ein wenig. Weltschaninoff entging es nicht. Inzwischen hatte die Glocke schon das zweite Abfahrtszeichen gegeben. Man vernahm eine dünne Stimme aus dem Wagen, die beunruhigt nach Pawel Pawlowitsch rief. Dieser wurde noch nervöser, lief aber auf den Ruf hin nicht sogleich fort, als erwarte er noch etwas von Weltschaninoff — natürlich die wiederholte Beteuerung, daß er der Einladung nicht Folge leisten werde.

«Wie lautet der frühere Familienname Ihrer Gattin?» erkundigte sich Weltschaninoff, als bemerke er die Unruhe Pawel Pawlowitschs gar nicht.

«Sie ist die Tochter unseres Geistlichen», erwiderte jener und horchte in größter Verwirrung immer wieder zu den Wagen hinüber.

«Ah, ich verstehe, um der Schönheit willen!»

Pawel Pawlowitsch krümmte sich wieder ein wenig.

«Und wer ist denn dieser Mitjinka?»

«Ach, das ist so: ein entfernter Verwandter von uns, das heißt von mir, der Sohn einer Cousine, die gestorben ist, Golubtschikoff, wegen Leichtsinn ist er degradiert worden, jetzt ist er aber wieder aufgerückt, wir haben ihn ausgestattet ... Ein unglücklicher junger Mann.»

«So, so, dann ist ja alles in Ordnung, eine vollständige Einrichtung», dachte Weltschaninoff.

«Pawel Pawlowitsch!» erscholl wieder ein entfernter Ruf aus dem Wagen, und diesmal mit einem sehr gereizten Unterton.

«Pawel Pawlowitsch!» tönte eine andere, heisere Stimme ...